AF175131

ediciones**carena**

Primera edición: abril de 2013

© Jesús Martínez
© Ediciones Carena

c/ Alpens, 8
08014 Barcelona
Tel. 934 310 283
www.edicionescarena.org
carena@edicionescarena.org

Diseño cubierta: Davinia Martín
Maquetación: Patricia Vélez
Depósito legal: 978-84-15681-63-2
ISBN: B-9598/2013

MONOPOLY BCN

JESÚS MARTÍNEZ

MONOPOLY BCN

Recorrido por las casillas
del 'juego de finanzas más famoso del mundo'

para leer la letra pequeña de los contratos

"Monopoly. El juego de finanzas más famoso del mundo. La idea de este juego es obtener grandes beneficios —COMPRANDO, ALQUILANDO o VENDIENDO propiedades— de forma que uno de los jugadores llegue a ser el más rico y, por consiguiente, el GANADOR."

Nota: Este libro se basa en el popular juego de Monopoly, en su versión barcelonesa de 1986, que publicó Borras (actualmente, Educa Borras, S. A.). Hoy, los derechos de la edición los tiene la empresa de juguetes Hasbro, que ofrece varias versiones del juego de mesa: Monopoly Cars; Monopoly City; Monopoly Júnior; Monopoly Estándar; Monopoly Cajero Loco; Monopoly Disney; Monopoly edición Electrónica; Monopoly España; Monopoly Viaje y Monopoly Juego de Cartas.

En todos ellos, la marca sigue estando representada por un señor canoso, con bigote blanco, de guías, vestido de etiqueta y que se cala un bombín. El símbolo de la opulencia.

"En cierto modo, Frank se dio cuenta de que su padre era demasiado honrado, demasiado precavido, y pensó que, cuando fuera mayor, se haría agente de Bolsa, o financiero, o banquero, y haría alguna de esas cosas."
Theodore Dreiser, en *El financiero* (Capitán Swing, 2011)

"Ninguna sociedad puede florecer ni ser feliz siendo la mayor parte de sus miembros pobres y miserables."
Adam Smith, en *La riqueza de las naciones* (Bosch, 1983)

***

"No es la hora de los beneficios, es la hora del crédito."
José Luis Rodríguez Zapatero,
presidente del Gobierno español entre 2004 y 2011 (1/II/2009)

"Es difícil, yo diría que imposible, que crezca el crédito."
"Ha sido nuestro mejor ejercicio en los últimos veinte años."
(En el 2008, el Grupo Santander logró un beneficio neto de 8.876 millones de euros.)
Emilio Botín,
presidente del Banco Santander (5/II/2009)

A Antonio Martínez Úbeda.
A Manuel Rodríguez Ramos.

Personajes

No se revelan los nombres de los comerciales y directivos de las oficinas bancarias. Como seudónimos, se han usado los 22 personajes infantiles Invizimals Evolution (Desierto, Fuego, Hielo, Jungla y Océano), monstruos invisibles que se han de atrapar con la PlayStation para PSP.

Las definiciones de los personajes en los cromos Invizimals son las siguientes:

Desierto

1. Bandolero: En México y Honduras llaman Bandoleros a estos Invizimals con aspecto de cuervo, por su capacidad para robarnos cosas. Los Bandoleros no son especialmente fuertes, pero son todo valentía, y actúan con orgullo y fanfarronería incluso frente a criaturas mucho mayores. Enfrenta a un Bandolero con un Dragón y ya verás: ¡esta criatura nunca retrocede, ni siquiera cuando el sentido común aconsejaría hacerlo!

2. Bratbat: Imagina un gran castillo. Imagina que allí vive un niño vampiro malcriado. Ese es Bratbat, el más travieso de todos los Invizimals. Nada le gusta más que gastar bromas y asustar a los humanos. Pero no olvides que lo de que es un vampiro va en serio. Campbell empleó un Bratbat entrenado exprofeso en sus últimos combates. ¿Seguro que quieres jugar con él?

3. Furmin: Cuesta imaginarlo, pero hay Invizimals viviendo justo bajo nosotros, en las cloacas. Furmin es un buen ejemplo. Los Furmins son criaturillas desagradables, a las que les gusta reírse de nosotros, portarse mal y robarnos la comida. ¿Adorables? ¡Para nada! ¡Pero una criatura tan desagradable en pleno combate es algo que vale la pena ver!

4. Roarhide: La sabana africana puede ser un lugar peligroso, pero lo será menos si eres un Roarhide, el campeón de boxeo del mundo Invizimal. Roarhide combina sus potentes golpes y puñetazos con un cuerpo totalmente recubierto por una armadura. Eso lo convierte en un enemigo poderoso, pero un campeón no es sólo su cuerpo: los Roarhides son arrogantes y valerosos, con una actitud pensada para ganar cada combate.

5. Salma: Algunos Invizimals triunfan porque son fuertes, pero otros tienen que ser inteligentes, como Salma. ¿Qué harías tú si tu cuerpo fuese frágil y tu única defensa fuera el veneno? Salma conoce bien la respuesta: bailará lentamente frente a su enemigo, acercándose poco a poco. Y entonces, con un rápido movimiento, escupirá veneno en la cara de su rival.

Fuego

6. Beatwidow: ¿Una araña que baila? ¡El mundo Invizimal guarda muchas sorpresas! Beatwidow es la reina de la disco, capaz de hacer *breakdance,* bailar el robot… ¡Lo que le pidas! A esta criatura se le da tan bien que parece que le ha salido una bola de discoteca en el abdomen. Por cierto, no pierdas de vista esa bola…, ¡quizá pueda usarla para algo bastante más peligroso!

7. Firecracker: Hace 700 años ya había papiros que mencionaban a los Firecrackers. Estas poderosas criaturas de fuego y ceniza viven en las profundidades de volcanes como el Vesubio. Dawson y Keni los descubrieron en su primera aventura y, desde entonces, Dawson siempre lleva uno consigo, como mascota personal.

8. Flameclaw: En lo profundo del desierto de Egipto, en un clima tan cálido que prendió hasta su cuerpo, vive Flameclaw, una extraña criatura que recuerda un escorpión. Flameclaw mezcla veneno y fuego en una combinación fatal, aderezada con su arrogante personalidad. Es como si esta criatura fuera el rey del desierto, y es famoso por comportarse así.

9. Porcupain: En el interior de los volcanes de las islas de Hawái viven los Porcupains, raza de poderosos guerreros a los que les encanta comer, dormir y combatir. Los Porcupains tienen la habilidad de estirar su cuerpo, y lo usan para sorprender a sus enemigos. Pero todo guerrero tiene su punto débil, y los Porcupains, a menudo, sufren pesadillas. ¡Asegúrate de que tu Porcupain duerma bien y será un leal compañero!

10. Stingwing: Stingwing fue el primer Invizimal que capturó Kenichi. Es un insecto juguetón, pero no te dejes engañar por su aspecto: las Stingwings pueden soltar potentes descargas eléctricas que las hacen tan atractivas… ¡como peligrosas!

Hielo

11. Hilltopper: Aquí tenemos al noble Hilltopper. Originarios de los bosques centroeuropeos, a los Hilltoppers les gusta trepar a lo alto de las montañas y saltar de risco en risco. Pero no te equivoques, no se trata de un feliz Invizimal saltarín. Métete con un Hilltopper y te enfrentarás a sus afilados cuernos y sus fuertes pezuñas.

12. Icelion: Vive en las regiones polares y muy rara vez entra en contacto con los humanos. Es un cazador solitario y brutal, y ninguna criatura puede comparársele en fuerza. Sin embargo, este gélido gigante tiene un punto débil: como su cuerpo está hecho de hielo, si recibe la luz y el calor del sol, ¡puede llegar a fundirse!

13. Ironbug: Los Ironbugs son los espíritus de guerreros japoneses que vivieron hace siglos. La leyenda dice que viven en las montañas nevadas del norte de Hokkaido, construyendo espadas y escudos de hielo y preparándose para el combate. Los Ironbugs son Invizimals nobles, leales y fuertes, que merece la pena que consigas y cuides. No te dejes engañar por el aspecto de Ironbug Pup: esta pequeña criatura esconde en su interior el espíritu de un guerrero.

14. Skysaur: Sabes que los dinosaurios ponían huevos, ¿verdad? Bueno, pues los Skysaurs también, uno por vida. No es de extrañar que estos saurios voladores se pasen el día cuidando de ese único huevo y protegiéndolo de cualquier peligro. Pero cuidado, porque también es su arma más poderosa, así que... ¡prepárate para evitar un fatal huevo arrojadizo!

15. Skytalon: Las Skytalons son águilas enormes que eran objeto de adoración por parte de los nativos americanos que vivían en las grandes llanuras de lo que hoy es los Estados Unidos. Noble, leal y valerosa, una Skytalon nunca se mete en problemas y, si los tiene, no te pedirá tu ayuda o tu compasión: ¡esta criatura es muy capaz de cuidar de sí misma... y hasta de ti!

Jungla

16. Bongorilla: La próxima vez que visites África y oigas el ruido lejano de los tambores, ¡recuerda que no todos los tambores los tocan seres humanos! Un Bongorilla es un simio grande, ágil, idóneo para el combate…, pero al que también le gusta la música. De hecho, muchos baterías se inspiran escuchando a los Bongorillas que tocan en la jungla. Así que muchos de los ritmos más populares que conocemos… ¡¡¡fueron creados por este Invizimal!!!

17. Chop Chop: Algunos Invizimals han aprendido de los humanos, y algunos humanos han aprendido de los Invizimals. Por ejemplo, tenemos al Chop Chop. Este extraño insecto lleva milenios viviendo en China e inspiró el estilo de Kung Fu llamado Mantis Religiosa. Sorprendente, ¿verdad? ¡Es otra prueba de que los antiguos podían ver a los Invizimals a simple vista!

18. Moonhowler: ¿Te imaginas una criatura nocturna que tenga miedo de la oscuridad? ¡Pues eso es lo que le pasa al pobre Moonhowler! Vive en una oscuridad total, pero le da miedo, así que pasa muchas noches temblando y tiritando, aullándole a la luna. ¡Se diría que Moonhowler cree que puede convencer a la luna para que brille más y convierta la noche en día!

Océano

19. Mobula: Las Mobulas son brujas siniestras que viven en lo más profundo de los océanos en el mundo Invizimal. Son cazadoras solitarias, que recorren en silencio el fondo de los océanos y acechan a sus presas sin ser vistas. Antes de que reaccionen,

Mobula atacará con una combinación de potentes descargas y *shocks* eléctricos, riéndose de sus aturdidos enemigos.

20. Moby: ¿Qué Invizimal tiene largos tentáculos para agarrar, un cráneo fuerte para cargar y una gran boca para morder? Sí, es Moby. Sí, es fiera. Y sí, si es tuya, tienes a una poderosa aliada. Moby es una magnífica luchadora, muy completa ya que tiene dentro mucho de lo que hace falta en combate. Por desgracia, es un Invizimal muy raro, por lo que no podrás ver muchas a menudo.

21. Phalamos: Phalamos vive en las profundas simas del mar Mediterráneo, normalmente cerca de la costa española. Es una criatura extraña, ya que por su debilidad física, Phalamos se dedicó a dominar las artes mágicas, y puede realizar algunos ataques muy poderosos basados en la electricidad y las ondas de choque, que parece que las controle a su voluntad.

22. Siren: A veces el aspecto de alguien puede matar... ¡y si no, fíjate en Siren! Te parecerá que se trata de un hermoso pez de los arrecifes de coral. ¡Pero tú espera a que abra la boca y muestre sus enormes mandíbulas! Ese es su truco favorito: seducir y atraer a sus presas y, cuando se acercan demasiado, darles un beso letal.

Listado de bancos de España

Fuente: Banco de España, diciembre del 2011-enero del 2012

Allfunds Bank, S. A.
Aresbank, S. A.
Banca Cívica, S. A.
Banca March, S. A.
Banca Pueyo, S. A.
Banco Alcalá, S. A.
Banco Banif, S. A.
Banco Bilbao Bizkaia Kutxa, S. A.
Banco Bilbao Vizcaya Argentaria, S. A.
Banco Caixa Geral, S. A.
Banco CAM, S. A.
Banco Caminos, S. A.
Banco Cetelem, S. A.
Banco Cooperativo Español, S. A.
Banco de Albacete, S. A.
Banco de Caja España Inversión Salamanca y Soria, S. A.
Banco de Castilla La Mancha, S. A.
Banco de Depósitos, S. A.
Banco de Finanzas e Inversiones, S. A.
Banco de la Pequeña y Mediana Empresa, S. A.
Banco de Madrid, S. A.
Banco de Promoción de Negocios, S. A. (Promobanc)
Banco de Sabadell, S. A.
Banco de Valencia, S. A.
Banco Depositario BBVA, S. A.
Banco Español de Crédito, S. A.
Banco Etcheverria, S. A.
Banco Europeo de Finanzas, S. A.

Banco Financiero y de Ahorros, S. A.
Banco Finantia Sofinloc, S. A.
Banco Gallego, S. A.
Banco Grupo Cajatrés, S. A.
Banco Guipuzcoano, S. A.
Banco Industrial de Bilbao, S. A.
Banco Inversis, S. A.
Banco Mare Nostrum, S. A.
Banco Occidental, S. A.
Banco Pastor, S. A.
Banco Pichincha España, S. A.
Banco Popular Español, S. A.
Banco Santander, S. A.
Banco Urquijo Sabadell Banca Privada, S. A.
Bancofar, S. A.
Bancopopular-E, S. A.
Banesto Banco de Emisiones, S. A.
Bankia Banca Privada, S. A.
Bankia, S. A.
Bankinter, S. A.
Bankoa, S. A.
Banque Marocaine Commerce Extérieur-International, S. A.
Barclays Bank, S. A.
Bbk Bank Cajasur, S. A.
BBVA Banco de Financiación, S. A.
Bnp Paribas España, S. A.
Caixabank, S. A.
Catalunya Banc, S. A.
Citibank España, S. A.
Deutsche Bank, S. A. E.
Dexia Sabadell, S. A.
Ebn Banco de Negocios, S. A.

General Electric Capital Bank, S. A.
Ibercaja Banco, S. A.
Liberbank, S. A.
Lloyds Bank International, S. A.
Ncg Banco, S. A.
Nuevo Micro Bank, S. A.
Open Bank, S. A.
Popular Banca Privada, S. A.
Privat Bank Degroof, S. A.
Rbc Dexia Investor Services España, S. A.
Renta 4 Banco, S. A.
Santander Consumer Finance, S. A.
Santander Investment, S. A.
Self Trade Bank, S. A.
Targobank, S. A.
Ubs Bank, S. A.
Unicaja Banco, S. A.
Unnim Banc, S. A.
Unoe Bank, S. A.

Visitas a entidades financieras de Barcelona

Casilla número 1. Carrer de Roger de Llúria, 48 (Bancaja)
Casilla número 2. Carrer de Rosselló, 274 (Banco de Valencia)
Casilla número 3. Carrer de la Marina, 16 (Bankia-Caja Madrid)
Casilla número 4. Carrer d'Urgell, 152 (BBVA)
Casilla número 5. Carrer de Consell de Cent, 316 (Deutsche Bank)
Casilla número 6. Carrer de Muntaner, 433 (Banca Cívica)
Casilla número 7. Carrer d'Aribau, 49 (Banco Popular)
Casilla número 8. Avinguda de Josep Tarradellas, 155 (Banco Santander)
Casilla número 9. Passeig de Sant Joan, 101 (Bankinter)
Casilla número 10. Carrer de la Diputació, 49 (Chaabi Bank)
Casilla número 11. Aragó, 203 (Caja Mediterráneo)
Casilla número 12. Plaça d'Urquinaona, 9 ("la Caixa")
Casilla número 13. Fontanella, 5-7 (Catalunya Caixa)
Casilla número 14. Ronda de Sant Pere, 47 (Banesto)
Casilla número 15. Rambla de Santa Mònica, 10 (Banco de Barcelona)
Casilla número 16. Via Laietana, 47 (Banc Sabadell)
Casilla número 17. Plaça de Catalunya, 8 (IberCaja)
Casilla número 18. Avinguda del Portal de l'Àngel, 31-39 (Banco de España)
Casilla número 19. Carrer de Pelai, 5 (Caixa Penedès)
Casilla número 20. Via Augusta, 128-132 (Citibank)
Casilla número 21. Carrer de Balmes, 150 (Cajamar)
Casilla número 22. Passeig de Gràcia, 54 (Banco Pastor)

La mitad de estas entidades financieras han sido nacionalizadas.

Prólogo de cosas sueltas
o contrato de prólogo
de 19 artículos

(citas como versículos, extraídas de los contratos
de Prestación de Servicios de los bancos)

*Se rige por estas mismas condiciones, figurando sus particularidades
en el Tablón de Anuncios.*

Artículo 1. Emergencia nacional

Este reportaje empezó como una ruta de compra de casas, igual que en el juego del Monopoly. De la visita a una de las principales inmobiliarias de alto *standing* de la ciudad, surgió la idea. "Apunta a los bancos, ellos son los responsables de la mala situación económica, muy calculada", me recomendó uno de los socios de la firma.

En el último piso de un edificio cercano al Passeig de Gràcia de Barcelona, con un portal de estilo gótico y friso desmembrado, los dos socios (Socio A y Socio B) de esta inmobiliaria fumaban tabaco rubio, aventaban el humo como si se tratase de un mal agüero, se enfrentaban a los números y despotricaban contra los bancos. El despacho, con claridades diáfanas y blancos espaciosos y minimalistas. Diseños del arquitecto Ricard Bofill ornamentaban la entrada.

"Nosotros trabajamos en la zona alta de Barcelona, en barrios como Bonanova, Sarrià-Sant Gervasi y El Putxet. Pero si antes vendíamos 30 pisos por mes y nos costaba dos semanas cerrar una operación, ahora vendemos cinco pisos por mes y nos cuesta dos meses que se firme el contrato", reflejaba el Socio A, vestido de traje y con las maneras de *Sir* Sean Connery, enfrente del Socio B, imperiosamente visceral, sin llegar a ser virulento, y escandalizado:

"Si tú quieres hablar de inmobiliarias, habla con los bancos, las principales inmobiliarias a día de hoy en España".

Este reportero se dispuso a ir a los bancos, que están "cerradísimos" y que no creen en España, a juicio de los Socios A y B. "A ellos les importa poco si ahora todo se viene abajo, porque con la globalización el dinero lo pueden seguir sacando de países como Marruecos. Aquí no hay ideologías: el Grupo Intereconomía colabora con "la Caixa"; Caja Madrid financia a Esquerra Republicana de Catalunya, etc."

Directamente, calificaban la situación actual, en la que se deniega reiteradamente el crédito —incluso a empresas solventes y "muy solventes"—, como de "emergencia nacional", y con la vista puesta en este precedente:

En diciembre del 2010, como consecuencia de la crisis de los controladores aéreos, se declaró el estado de alarma en España. El Ministerio de Defensa puso en alerta la Unidad Militar de Emergencias.

Salvando las diferencias, la falta de liquidez, con la anuencia de los bancos, está provocando una situación de alarma colectiva y de asfixia de la economía española.

***

Sin perjuicio de lo anterior, se reserva el derecho de cancelar la cuenta Ahorro-Fiscal transcurridos cinco años y un día desde su constitución, comunicándolo al Titular con un preaviso de ocho días.

Artículo 2. Nacionalización de la banca

"El número de concursos de acreedores [antigua suspensión de pagos] contabilizados en España en el 2011 fue de 6.056, lo que supone un aumento del 12% frente a los 5.407 registrados en el 2010 y la cifra más alta jamás contabilizada, según los datos facilitados hoy por la consultora Informa D & B" *(La Razón,* 5/I/2012).

Este reportero recoge la idea compartida por varios ciudadanos, entre ellos, promotores y activistas y cabreados del movimiento del 15 de Mayo: que se nacionalice parte de la banca privada si determinadas actitudes ponen en riesgo el sistema financiero español.

La amenaza del expresidente de Francia, Nicolas Sarkozy, surtió efecto:

"Sarkozy amenaza a los bancos con la nacionalización. El presidente se queja de las restricciones del crédito. El Estado ha facilitado 10.500 millones a los bancos, pero las empresas no logran financiación" *(La Vanguardia,* 1/XI/2008).

***

Los intereses se devengarán día a día sobre la base de un año de 365 días, salvo bisiestos, que serán 366 días.

Artículo 3. *Titanic*

En los últimos meses, los medios de comunicación han hecho mención en repetidas ocasiones al hundimiento del *Titanic,* en abril de 1912, como recurso metafórico para explicar el colapso de la economía. Ejemplo del columnista de *La Vanguardia* Francesc-Marc Álvaro, el 2 de enero del 2012:

"La crisis frena y alienta a la vez el soberanismo catalán: lo frena porque lo más importante para cada individuo es sobrevivir, pero también lo alienta porque muestra descarnadamente los límites de una estructura que lesiona a una sociedad dinámica. El catalanismo tiene a favor una verdad incontestable: ¿cómo puede ser que los más ricos de las Españas deban pedir limosna? Y el centralismo tiene otra verdad eficaz: si quieres algo, pasa por el tubo. Les deseo, amigos lectores, que el 2012 no les sea muy inclemente y recuerden que hace cien años –cuidado– se hundió el *Titanic".*

***

El importe de los intereses absolutos devengados se calculará mediante la siguiente fórmula: capital x interés nominal/100.

Artículo 4. *Inside Job*

En las Navidades del 2011, el diario *El País* lanzó una promoción que resultó todo un éxito: el documental *Inside Job* (Charles Ferguson, 2010): "El documental explica, a través de una exhaustiva investigación y numerosas entrevistas, qué y quiénes provocaron la crisis económica actual"; "El coste de la crisis económica mundial del 2008 fueron los ahorros, trabajos y hogares de decenas de millones de personas".

El precio de la promoción era de 1,95 euros.

En los quioscos de La Rambla se agotaron a las diez de la mañana del día de lanzamiento. "Toda la mañana y toda la tarde me han estado preguntando por lo mismo. Pero creo que lo van a volver a sacar, eso me ha dicho el repartidor", contestó a este reportero uno de los quiosqueros.

En *Inside Job*, el economista Raghuram G. Rajan alertó del desastre que se avecinaba, del que todos eran conscientes: "El desarrollo financiero está poniendo en peligro el mundo". En efecto, la caída en desgracia de la compañía de inversiones y activos financieros Lehman Brothers (padre de los 'créditos basura' *subprime*) provocó, como consecuencia, y como en un castillo de naipes venido abajo, 30 millones de desempleados en todo el mundo. No es de extrañar, puesto que los *brókers* de Wall Street consumían cocaína y frecuentaban los locales de *striptease*.

"Al final, los más pobres siempre son los que pagan el precio más alto", afirmó el exdirector del Fondo Monetario Internacional, noticia por sus escarceos sexuales, Dominique Strauss-Kahn.

***

El Titular, persona física, podrá realizar a través de los canales disponibles en cada momento la suscripción, compra, enajenación o reembolso de valores de las Instituciones de Inversión Colectiva.

Artículo 5. Emilio Botín

Apartándose de los prejuicios y de los bulos que corren, este reportero ha querido escuchar las razones que sobre la crisis financiera esgrimen los directores de las sucursales bancarias, y sus jefes, en las centrales respectivas. Así, del Banco Santander se ha solicitado la opinión tanto del presidente del Grupo Santander, Emilio Botín, como del director de la sucursal en la Avinguda de Josep Tarradellas, 155.

En ambos casos, sin respuesta.

***

Los derechos económicos de cada partícipe sólo podrán hacerse efectivos a los exclusivos efectos de su integración en otro Plan de Pensiones, en los supuestos excepcionales de liquidez de los derechos consolidados por enfermedad grave o desempleo de larga duración o cuando se produzca el hecho que dé lugar a la prestación.

Artículo 6. Penalización

En el juego del Monopoly se penaliza la solidaridad: "Ningún jugador puede pedir prestado o prestarle dinero a otro jugador".

***

En el caso de revocación o modificación de órdenes, la retención del saldo no se levantará hasta que el mercado correspondiente dé la confirmación de las mismas.

Artículo 7. Crédito

En el 2009, un editor de Barcelona abrió una línea de crédito con el Banco Popular, de 12.000 euros, y renovación anual. Pagaba cada trimestre el 4,5% de intereses. En el 2011, los intereses subieron al 7,5%, y, en el 2012, al 11,5%.

"Esto es lo que hay", fue la respuesta del responsable de la oficina al cliente, que se sintió insultado.

***

La suscripción de una cuenta implicará la suscripción de aquellos productos promocionales que se oferten en esos momentos.

Artículo 8. *Happening*

En las primeras semanas del 2012 tuvo mucho éxito el vídeo colgado en YouTube (categoría "ONG y activismo"): "Soy banquero, acción contra el abuso bancario (Movimiento 15-M de Albacete y Caudete, en Castilla La Mancha)".

Se trataba de una acción *(happening)* realizada en Albacete frente a las entidades bancarias: "Denuncia los abusos de la banca y la responsabilidad del gran capital como responsables de la crisis". Sus promotores fueron los miembros de la Comunidad para el Desarrollo Humano Albacete (Movimiento Humanista) con la colaboración de activistas del Movimiento 15-M.

Un chico, disfrazado de Drácula, chupasangres, cantaba:

"Yo no maldigo mi suerte, porque banquero nací... [...] Soy usurero porque a mí nada me ablanda, sólo busco el beneficio...".

Un comentario en la página web: "Ey, pero cuidado, que los trabajadores de banca son un personal más, se buscan la vida. Miremos arriba. Un beso a todos los que están detrás del mostrador e incluso a los directores de cada banco, que siempre la pagamos con él, que da la cara. Este tiene una nómina".

***

Todas aquellas personas que aparezcan como Titulares de Productos o Servicios asumirán solidariamente todos los derechos y obligaciones derivados de la actuación de cualquiera de ellos.

Artículo 9. Tintín

En una de las aventuras de Tintín, *La estrella misteriosa* (Editorial Juventud, 2006), los banqueros aparecen retratados en toda su crudeza. El joven periodista Tintín, "que representa a los informadores de prensa", junto con el capitán Haddock, se embarca en el *Aurora* rumbo al ártico, en el que ha caído una especie de meteorito gigantesco ("aerolito"), que ya se ha apodado con el nombre de su descubridor, el científico Hipólito Calys: *el calisteno.*

En tres viñetas, un banquero y su secretario confabulan para hacerse con el metal:

—Querido amigo, usted es mi secretario desde hace bastante tiempo y debe saber que si la Banca Bohlwinkel ha financiado la expedición del *Peary* es porque estaba segura del éxito. Créame usted, el *Aurora* no tiene posibilidad de triunfo.

—Así lo creo, señor Bohlwinkel. Pero…

—Sí, ya lo sé, el *Aurora* ha salido antes de lo que figuraba por culpa de ese imbécil de Hayward, que no ha sabido hacer su trabajo. Pero ya he tomado las precauciones necesarias.

—¡Ah, muy bien!

—Verá usted, amigo, el plan es el siguiente: so capa de una expedición científica tomaré posesión de ese aerolito y del metal

desconocido del que ese ingenuo soñador de profesor Calys nos ha revelado la existencia. *Una fortuna colosal me espera allí. Una fortuna colosal que no dejaré que se me escape...*
[Las cursivas, de este reportero]

$$***$$

Podrá limitar, previa comunicación, el saldo por interviniente en los Productos o Servicios.

Artículo 10. Dinero

Cerca de la cafetería Nostromo (Ripoll, 16, en Barcelona; "exhala la densidad de los menestrales, pero también la inventiva de los emprendedores", en palabras del periodista Josep Maria Cortés), regentada por el capitán de Marina Mercante Cecilio Pineda, en una cantina con los carteles de las Fiestas de La Mercè del último decenio, se pueden recoger tarjetas publicitarias, en formato *flyer*. Por ejemplo, de la gestoría jurídico Hui Ming. Entre su treintena larga de servicios: "solicitud del paro; solicitud del crédito bancario hipotecario; solución de deuda de hipoteca...".

$$***$$

Las partes se autorizan a grabar las comunicaciones telefónicas que se mantengan durante su utilización.

Artículo 11. 'Retallades'

"No a la dictadura financera. Aturem les retallades!" La manifestación del sábado 28 de enero del 2012, a las cinco de la tarde, en la Plaça de Catalunya, estaba organizada por el Fòrum Social Català. De la convocatoria:
"Ens trobem en un moment de greu crisi del sistema, conseqüèn-

cia de la cobdícia de banquers i grans empresaris i del malbaratament dels recursos públics —salvant bancs i fent obres faraòniques— que ha mostrat la cara més ferotge del capitalisme neoliberal i de la globalització. La crisi econòmica ha mostrat l'estat del benestar precari en el que vivim, una manca de llibertats democràtiques i una societat fortament desigual que va camí de la fractura social".

***

Los gastos de consignación serán por cuenta y cargo de los Titulares.

Artículo 12. Preferentes

Un compañero me explicó el caso que afecta a sus padres: han invertido 20.000 euros en participaciones preferentes (PPR) de "la Caixa" (ahora, CaixaBank). Nadie les garantiza su recuperación.

La información "divulgativa y genérica" de la Oficina de Atención al Inversor indica de manera explícita, en el punto tres: "¿Se puede perder el capital invertido en PPR? Sí, según la situación del mercado, del emisor y de las condiciones financieras del producto, su valor puede ser inferior al que pagó al adquirirlas, por lo que el inversor podría sufrir pérdidas".

La palabra *pérdidas,* subrayada.

En el blog "Inversión, especulación... y cosas mías", sobre "bolsa, banca, preferentes, inversión, especulación y economía", de Fernan2, bloguero y miembro del equipo de Rankia.com, se hace pedagogía de este producto controvertido.

Consulta de un internauta: "Hola, en mi banco me han ofrecido unas participaciones preferentes que son un chollo, dan un 6% sin riesgo y, aunque son participaciones preferentes perpetuas, ellos me buscan a otro que las compre cuando las quiera vender, pero yo no sé qué son las participaciones preferentes, ¿que me aconsejáis?".

Respuesta de Fernan2: "[...] Las participaciones preferentes no están cubiertas por el Fondo de Garantía de Depósitos (FGD), por lo que, en el caso de quiebra del banco (algo ya no tan improbable), perderíamos nuestra inversión. [...] Como podéis ver, lo del 6% sin riesgo es mentira. Y lo de que te buscan a otro que las compre..., medias verdades, que es la peor de las mentiras: si quieres vender las preferentes que el banco te ha colocado, el banco tratará de colocar tus participaciones preferentes a otro cliente al mismo precio, pero sin garantías. Si las [participaciones] preferentes van bien, probablemente no habrá problemas; pero si van mal, que es cuando querrás salirte (por ejemplo porque haya pérdidas y se haya suspendido el pago del cupón), todos querrán salirse y nadie querrá comprarlas, y te comerás las preferentes con patatas".

***

Las entregas que no sean en efectivo se considerarán abonadas salvo buen fin.

Artículo 13. Goldman Sachs
Mail del 16 de febrero del 2012, "pásalo":

Golpe de Estado de Goldman Sachs
La situación político-económica en Europa es ya insostenible. Asistimos impasibles al traspaso de poderes en Italia y Grecia. Los medios de comunicación pasan de puntillas sobre el fondo del asunto, e, independientemente de la antipatía que sus dirigentes despierten en amplios sectores de la población, en la práctica, este cambio supone reemplazar a los "democráticamente" elegidos por otros, los llamados "tecnócratas", que ni fueron elegidos por el pueblo, ni resultan siquiera familiares.
Si el sistema democrático actual se halla ya de por sí en un estado deplorable, a pesar de que se haga alarde de que todas las garantías parlamentarias han sido respetadas, esto constituye téc-

nicamente un golpe de Estado encubierto en el que los beneficiarios son los mercados y sus estrategias especulativas salvajes.

***

Si por cualquier supuesto se produjese un saldo deudor (descubierto) en una cuenta, deberá éste ser reintegrado de manera inmediata por el Titular sin necesidad de notificación o requerimiento alguno.

Artículo 14. La quiebra del Banco de Barcelona, la moraleja

La historiadora de Economía y profesora de la Facultat d'Economia i Empresa de la Universitat de Barcelona Yolanda Blasco, doctora en Historia Económica, quería investigar sobre la burguesía catalana a finales del siglo XIX. Pero indagando en los archivos del banco Hispano Colonial, de la familia de los marqueses de Comillas, encontró unos papeles del Banco de Barcelona, una especie de hallazgo arqueológico: "Andaba buscando en el Hispano Colonial [que, posteriormente, se convertiría en el Banco Central Hispano, y luego en el Banco Santander Central Hispano] y mediante unos amigos di con unas doscientas cajas con los libros de cuentas del banco, que ahora están en el Arxiu Nacional de Catalunya".

Pregunta.—¿Los ha consultado todos?

Respuesta.—He consultado los papeles del Banco de Barcelona hasta 1920, cuando el edificio pasó a manos de los militares. He leído todo desde 1874, un montón de páginas.

Esta investigación era mi tesis. Yo no sabía cómo funcionaba un banco de emisión provincial en Catalunya. La diferencia es que emitía billetes.

En 1848, el Banco de Barcelona se quedó con la garantía de un crédito que habían dado. La garantía era mármol, que no pudieron vender al precio que les ofrecían.

El historiador Vicens Vives calificó el Banco de Barcelona como el centro de las finanzas catalanas.

El exministro Ernest Lluch me hizo saber que en los años sesenta-setenta del siglo XX, el edificio había sido la sede de la Inteligencia del Ejército.

P.—¿Su análisis de la crisis?

R.—Yo vi el documental *Inside job* y lo encontré muy transparente. Nadie puede exculparse, desde los profesores universitarios hasta los banqueros, pero creo que en ese documental faltaba la responsabilidad individual: todos hemos sido codiciosos. Si tú no tienes un trabajo que te permita hipotecarte a 20 años por el doble de lo que ganas, si lo haces, estás asumiendo un riesgo. Si te sale bien, pues bien, pero si no, la culpa también es tuya. En esta crisis ha habido conductas muy reprobables (ambición, codicia, falta de transparencia y falta de ética), pero hay una cosa que es real: la banca comercia con dinero. Se puede llamar *usura*.

P.—¿Qué solución le encuentras?

R.—Repetimos errores. En el caso del Banco de Barcelona, la quiebra de 1920: se pillaron los dedos con las divisas de Alemania. El marco se depreció y eso arrastró a toda una serie de bancos, entre ellos el de Barcelona. La codicia forma parte del género humano. A mí me parecería fantástico que los directores de las cajas, que son públicas y que las pagamos todos, devolvieran sus salarios por haber cobrado de más. Me parecería estupendo. Pero como no sé si se puede hacer, la solución va a ser que todos vamos a ser más pobres, vamos a tener que ser más productivos y vamos a tener que hacer las cosas de otra manera.

P.—Pero los banqueros...

R.—Si el señor del Santander, del BBVA y del Banco Popular tienen buenos sueldos, como son empresas privadas, pueden hacerlo. Tú puedes sacar tus ahorros de ahí y meterlos en la banca ética, pero eso es una decisión que te corresponde a ti: no dar tus intereses a banqueros que no te gusta cómo actúan. Pero eso es la banca privada. Y las cajas son públicas.

P.—Ahora se han privatizado, así que ya nada queda claro.

R.—Las cajas tienen una función social porque el Estado autonómico participa en ellas, y tú puedes exigir responsabilidades.

P.—¿Qué es lo que tendría que hacer la ciudadanía?

R.—Muchas veces yo soy poco productiva, pero eso me lo achaco a mí misma. Otras veces soy lenta porque dependo de gente ineficiente, porque un papel no está donde debería estar y tengo que dar tres vueltas para conseguirlo o porque tengo que hacer cinco llamadas de teléfono de más, o llamo y la persona que me tiene que atender no está… ¿Cómo se puede solucionar?

P.—A España la crisis le ha afectado en mayor medida… ¿En qué fallamos?

R.—En el capital humano. Hasta hace poco un obrero de la construcción ganaba más que un médico. Tenemos que mirar hasta la educación que damos a nuestros hijos. ¿Por qué nos quejamos del esfuerzo?… A lo mejor nos lo tenemos que hacer ver. ¿Por qué no exigimos?

P.—Y la inaccesibilidad de los banqueros…

R.—Normal. Escríbele un mail al presidente de unos grandes almacenes… El mundo de la empresa de este país es más opaco por nuestros vaivenes históricos. A las empresas no les gusta enseñar lo que tienen escondido en el armario.

***

Los Intervinientes aceptan que puedan ser cedidos sus datos.

Artículo 15. Cajas

Noticia del diario *Público*, del 24 de enero del 2011: "El Gobierno empuja a las cajas a ser bancos":

> Las cajas de ahorros que conocemos en estos momentos tienen los días contados. En concreto, al modelo de cajas le quedan nueve meses de vida. A partir de otoño, prácticamente todas las entidades del sector tendrán que realizar su negocio financiero a través de un banco, y la caja como tal sólo se dedicará a gestionar la obra social.
>
> El Gobierno y el Banco de España habían llegado a la conclusión en los últimos días de que las cajas no pueden sobrevivir con su modelo actual porque no tienen capacidad para captar capital y mejorar su solvencia en un entorno tan difícil como el actual, en el que, además, los mercados tienen una pésima imagen de ellas. Por eso, las autoridades se plantearon que era necesario que se convirtieran en bancos.

***

Podrá modificar este Contrato, incluyendo sus Anexos.

El 4 de febrero del 2012, la sección de Economía de *La Vanguardia* abría con la reforma del sistema financiero español y cerraba con un rapapolvo a los banqueros.

En la página 52, este titular, a cuatro columnas: "El Gobierno mete en cintura a las cajas con ayudas públicas". *El lead* que redactó desde Madrid la periodista Lalo Agustina no dejaba lugar a dudas: "Se acabó la fiesta, sin excepciones. La incongruencia de aplicar recortes desde todas las administraciones en un país con 5,3 millones de parados y un déficit desbocado y mantener, al mismo tiempo, a un grupo de ejecutivos que se benefician del dinero público se ha acabado".

***

Se reserva la facultad de modificar los tipos de interés,
las comisiones y los gestos repercutibles.

Artículo 16. Breves

Breve en la página 55 del diario *La Vanguardia,* en la sección de Economía, del mismo 4 de febrero del 2012: "La Fiscalía investiga la banca de Nueva York". Información de Europa Press: "El fiscal general de Nueva York, Eric T. Schneiderman, ha presentado una demanda contra varios de los mayores bancos del país, a los que acusa de proporcionar información 'falsa y engañosa' para llevar a cabo ejecuciones hipotecarias 'fraudulentas'. En concreto, el fiscal menciona en su demanda a JP Morgan Chase Bank, Bank of America y Wells Fargo Bank, así como a Merscorp y su subsidiaria".

Breve del 10 de febrero del 2012, en la misma sección del mismo diario: "Multa millonaria de la Fed a cinco bancos de EE. UU.". Firmado por Agencias: "La Reserva Federal (Fed) anunció ayer multas por 766,5 millones de dólares contra cinco bancos de Estados Unidos por malas prácticas hipotecarias. Las multas, que afectan a Ally Financial, Bank of America, Citigroup, JP Morgan Chase y Wells Fargo, están relacionadas con 'deficiencias' en la concesión de préstamos y en el procesamiento de ejecuciones hipotecarias".

***

Podrá cancelar sin causa alguna y en cualquier momento los productos que los Intervinientes tengan contratados.

Artículo 17. Convocatoria Banko

Convocatoria, firmada por la Assemblea de Gràcia de Barcelona: "Cine-Fòrum *La colònia Castells. Vida, dissecament i destrucció.* Diumenge 12 de febrer del 2012, a les 19 hores, al Banc Expropiat de Gràcia (Travessera de Gràcia, 181)".

***

Pudiendo cancelar anticipadamente cualquier depósito constituido a su nombre, posiciones y operaciones al objeto de compensar los saldos deudores del Titular.

Artículo 18. Credit Scoring

"[El programa informático] Credit Scoring es una herramienta para valorar una operación en términos de riesgo. Tradicionalmente ha sido usado como herramienta para denegar o aprobar una operación de crédito."

Javier Montoya Martín
Responsable Riesgos SAS España

***

En el caso de discrepancia entre la copia del Titular y el contrato archivado, prevalecerá este último.

Artículo 19. La letra pequeña

Este reportaje empezó con la visita a una inmobiliaria, y luego se reorientó al mundo de la banca. En un primer momento, del sistema bancario, reducido a la mínima expresión barcelonesa – como banco de pruebas balístico–, a este reportero le interesaban los motivos de la no concesión de crédito a las pymes. Las fuentes consultadas fueron intransigentes al respecto: "Los bancos no tienen dinero para dar préstamos".

Poniendo en duda esta afirmación, el escrito ha sido conducido por los caminos de la ética y de la moral: se quería mostrar y dejar patente la inaccesibilidad de los banqueros (no en vano, casi ninguno de ellos tiene página web propia*), que, por su opacidad, a este reportero le recordaban al Doctor Gang, de la serie infantil *Inspector Gadget* (1983-1986).

Comprendiendo que las empresas privadas no han de dar cuentas a la ciudadanía de sus bienes gananciales (en virtud del máximo lucro capitalista), el Doctor Gang fue abandonado por otra opción: ¿qué te 'regalan' los bancos cuando abres una cuenta de ahorro? ¿Siguen dando duros a cuatro pesetas?

Y aquí es cuando se pone el ojo en la aguja: la letra pequeña de los contratos de domiciliación bancaria y, por ende, la letra pequeña de cualquier acuerdo económico con la entidad.

Así, pues, se ha pasado de la crisis financiera global, en la que se cubrió de gloria la banca Morgan Stanley, a un proyecto que mira con lupa las condiciones de las pequeñas inversiones de capital.

Por lo tanto, se podría decir que la crisis del 2008 ha sido, en parte, el resultado de no haber leído la letra pequeña.

* El único que se ha abierto una página web es Ángel Ron (www.angelron.es), el presidente más joven de la banca española.

El tablero de
MONOPOLY BCN

A la letra pequeña de los contratos siempre le precede un asterisco*

(*) Asterisco. (Del latín *asteriscus,* y este del vocablo griego que significa *estrella.*) Aparentemente, este signo se originó en la pictografía sumeria hace 5000 años. Se emplea normalmente como primera llamada de nota, aunque tiene otros muchos usos en español. En lexicografía enciclopédica indica el año o el lugar del nacimiento, o hace las funciones de "véase", mientras que en filología suele usarse para mostrar que cierta voz o construcción es hipotética o agramatical.

Del *Glosario de términos de imprenta,* por Jorge de Buen

La letra pequeña de los siguientes capítulos, en negrita.

Al final de cada capítulo-casilla del Monopoly, la explicación de la letra pequeña a cargo del entendido en asuntos financieros, nuestro especialista de la empresa iAhorro.com, que ha colaborado desinteresadamente en este trabajo:

Somos el comparador financiero de referencia en España. Nuestro objetivo es claro: queremos, que de forma rápida, gratuita y sencilla seas capaz de comparar todos los productos financieros que hay en España.
Si buscas un depósito para invertir tu dinero, una cuenta para rentabilizar tus ahorros, un plan de pensiones para asegurar tu futuro, un bróker para pagar menos comisiones, un seguro, una tarjeta de crédito, la hipoteca más barata, la cuenta remunerada o la cuenta nómina más rentable del mercado, este es tu portal de finanzas. Sólo tienes que decidir qué producto financiero quieres y desde iAhorro te ayudamos a elegirlo tras comparar y analizar la oferta de más de mil entidades financieras.

Casilla número 1

Calle de Lauria

Carrer de Roger de Llúria, 48 (Bancaja)

Nos importa tu negocio.

Los comerciales

Cliente.—Así nos va.

Caja.—Hemos gastado lo que no tenemos.

Entre el restaurante Movie ("focaccias") y el gimnasio Fitness 2000 ("gym"), Bancaja (www.bancaja.es).[1]

Perteneciente al grupo Bankia, es una más de las sucursales cuyos clientes aún no se han dejado llevar por la histeria; más que de la solidez del sistema financiero, habría que hablar de la madurez del ahorrador.

En la esquina de Roger de Llúria con Diputació, Bancaja ha decorado sus vitrinas con este eslogan de campaña electoral: "Nos importa tu negocio". En el interior, nada más cruzar la puerta que da a la calle, este mensaje, impreso en un DIN-A4 y colgado de las paredes: "Pregunta por nuestros inmuebles en venta".

En medio, una columna repleta de propaganda del sector y de trípticos del grupo bancario Bankia, que se ha desplomado en Bolsa después de que su presidente, el exministro Rodrigo Rato, abandonara el barco (previo acuerdo de pago).

La caja se encuentra al fondo, en medio de un anfiteatro en el que las plateas están separadas por mamparas de suaves tonos. A ambos lados de la caja, mesas en las que los comerciales desempeñan su labor. La caja, junto al extintor y una planta del Pleistoceno (de esas que no hace falta regar), está gobernada por PHALAMOS,

1. Las notas de los capítulos, en la página 151.

que atiende a este reportero:

PHALAMOS.—Dígame, ¿qué desea?

Reportero.—Quería saber qué me podéis ofrecer si abro una cuenta corriente con vosotros.

PHALAMOS.—Tome asiento, si no le importa. Los comerciales están reunidos, ellos le atenderán.

Este reportero toma asiento y lee un tríptico cogido al azar. Uno de ellos, de dimensiones considerables, lleva por título: "T'hem preparat els millors regals". Se trata de un catálogo de productos de "regalo": una báscula de vidrio Beurer, 1.455 puntos; una bicicleta plegable, 11.620 puntos; una aspiradora con bolsa, 2.000 puntos, y una tostadora Taurus, 1.055 puntos.

En letra pequeña, las bases de la promoción, cuyo décimo punto dice así: **"La participació en aquesta promoció suposa l'acceptació d'aquestes bases, i Bancaja s'en reserva la interpretació, així com la facultat de resoldre les incidències no contemplades en aquestes".**

El tríptico "Nos importa tu negocio" (empresas.bankia.es) está dirigido a microempresas y autónomos. En la contraportada, bajo la frase publicitaria "Todo un futuro juntos", la letra pequeña: **"Promoción válida a partir del 31/I/2012 para autónomos, comerciantes, profesionales liberales y microempresas según se define en las bases notariales que sean titulares de cuentas a la vista consideradas como No Consumidores. Consulte los requisitos y ventajas, así como las condiciones de inclusión y baja en la campaña, en las bases de promoción depositadas ante Notario y a disposición del cliente en las Oficinas de Bankia y en empresas.bankia.es".**

Diez minutos después…

Reportero.—Perdone, es que se me hace tarde. ¿Sabe cuándo estarán libres los comerciales?

PHALAMOS.—Se reúnen a primera hora de la mañana, lo siento por la espera.

Reportero.—Si me deja una tarjeta.

PHALAMOS.—No tenemos, lo siento.

Reportero.—¿Si le dejo la mía y les pido que me llamen?…

Nunca llamaron.

***

La letra pequeña, a ojos del especialista:

Cuando se hace referencia a *No Consumidores* se quiere decir que la promoción va destinada a profesionales o comerciantes, no a clientes particulares. Evidentemente, un profesional puede ser también un consumidor, pero estas promociones se refieren a su actividad mercantil. Un comerciante o profesional liberal, en principio, será un autónomo (lo que se conoce por trabajadores por cuenta propia); por microempresa se entiende una sociedad de responsabilidad limitada con pocos o ningún trabajador por cuenta ajena.

Casilla número 2

Calle de Rosellón

Carrer de Rosselló, 274 (Banco de Valencia)

Cocine con estilo en esta batería de diseño.

Multi Altrem

Caja.—Vaya semanita nos espera.

Cliente.—Es mejor apagar la tele y no ver las noticias.

Entre Barna Paper ("papers especials, gravat, dibuix, aquarel·la, disseny, manualitats, carpetes") y Pauta Senyalètica (arquitectura), el Banco de Valencia (www.bancodevalencia.es).[2]

El interior, dominado por el rojo, quedaría disimulado en una caserna de bomberos. Más allá del tablón de anuncios con "información de divisas", y tras contemplar un cuadro de colores sofocados, la caja, vacía. A la izquierda, la mesa con el "gerente de empresas" HILLTOPPER, y, al fondo, el despacho del director.

HILLTOPPER.—En estos momentos no tenemos ninguna campaña de promoción, pero si quieres abrirte una cuenta Multi Altrem, que es el nombre de nuestra cuenta corriente, tendrías que traer la nómina y el DNI. Quedarías exento de comisiones de mantenimiento.

Reportero.—Y ¿estos trípticos?

Este reportero alarga la mano y recoge un *flyer* con este título: "Disfrute de este televisor: LEG LED 42"", con una fotografía de un televisor de 99,8 cm por 68,4 cm.

HILLTOPPER.—Es una campaña para depósitos a plazo, y, precisamente, termina hoy, 15 de junio.

La letra pequeña de la promoción:

Operaciones de imposiciones a plazo fijo:
-Estas operaciones no tienen retribución monetaria.
La T. A. E. que se publica corresponde exclusivamente a la retribución en especie, sujeta a la legislación fiscal vigente.
-Las imposiciones no se podrán renovar ni cancelar anticipadamente.

Los otros trípticos corresponden a Seguro Comunidad ("vecinos, tranquilos"); servicio de mensajes a móvil ("para su mayor seguridad"); un sistema para pagar en los peajes sin necesidad de detenerse ("disfrute de su tiempo, utilice el telepeaje") y seguros de automóvil ("usted elige su camino").

Reportero.—Vale, entonces, no habría ninguna oferta especial para abrirme una cuenta.

Antes de salir, este reportero se interesa por la crisis financiera europea.

HILLTOPPER.—No sé, nosotros resistimos, pero mucho me temo que acabaremos cambiando de jefes.

$$***$$

La letra pequeña, traducida por el experto:
Los depósitos a plazo fijo normales nos pagan intereses en dinero, pero los depósitos en especie o regalo entregan un bien en lugar de intereses monetarios.

Los depósitos normales permiten su cancelación anticipada, es decir, recuperar el dinero antes del vencimiento pactado; normalmente nos cobran un porcentaje de penalización, que nunca podrá superar los intereses devengados (por lo tanto, no se pierde capital). Sin embargo, los *depósitos regalo* no permiten esta cancelación anticipada, dado que no se puede devolver una parte del bien entregado como remuneración.

Casilla número 3

Calle de Marina

Carrer de la Marina, 16 (Bankia-Caja Madrid)

Además, sin comisiones; además, un regalo; además, bankia.

Pato Pekín

Cliente.—¿Fuiste a esa fiesta?

Caja.—No, pero iré la próxima vez.

Entre la Torre Mapfre y el restaurante Pato Pekín, Caja Madrid (www.cajamadrid.com), actualmente integrada en Bankia (Caja Madrid+Bancaja+La Caja de Canarias+Caja de Ávila+Caixa Laietana+Caja Segovia+Caja Rioja).[3]

Pinceladas verdes en los cristales, alfombra de verdes como los del bosque de la Isla de San Juan. Forraje de verdes conífera y laurel verde. Al lado de la puerta ("pulsar el botón para abrir"), el cajero automático, igual de madrugador que los empleados que lo manipulan: el banco abre, de lunes a viernes, a las 8.15 horas.

Una vez dentro, tres pasos y el mostrador, con dependientas encantadoras, más jóvenes que Miss Daisy y embriagadoramente respetuosas. Ellas se llaman comerciales. Un reloj digital, con la fecha y la hora: "VIE 17 FEB. 09:03:21". Una cámara de seguridad apunta a la puerta de entrada. Una fotocopiadora. Un calefactor. Una planta aspidistra o un helecho que tapa el extintor.

Detrás de SIREN, un cartel con la "campaña", que duraba hasta el 5 de marzo del 2012. Su lema: "Servicio Nómina. Además, sin comisiones; además, un regalo; además, bankia".

SIREN se acoda sobre su mesita y apoya su barbilla en la muñeca. Recta, partidaria de la flexibilidad, puritana por los broches patricios, se muestra más permisiva que los directivos que no podrán hacerle sombra, pese a sus probables desavenencias con el responsable del Eurogrupo de ministros de Finanzas de la unión monetaria europea, Jean-Claude Juncker, tipo con vozarrón y que no tiene cosquillas en los pies.

La promoción de la cuenta "en campaña", para abrirse una libreta en Caja Madrid, se detalla en una hoja explicativa con varios asteriscos que remiten a la letra pequeña:

Todas las razones para hacerte Fan del 'Además' y, además, un estupendo regalo.*

*Promoción válida para personas físicas > 18 años, del 25/XI/2011 al 5/III/2012, ambos inclusive. Unidades totales limitadas a: 20.000 TV 22" Toshiba 22EL833 y 5.000 iPad2 16GB Wifi. Compromiso mantenimiento domiciliación nómina/pensión: 24 meses.

Cada uno de estos regalos posee, a su vez, un asterisco al final:

Una TV Toshiba de 22" por domiciliar la nómina o pensión entre 800 euros y 2.500 euros.*

*TV 22" 22EL83: por domiciliación de nómina o pensión en Bankia por importe igual o superior a 800 euros e inferior a 2.500 euros, domicilien dos recibos de suministros y tengan una tarjeta operativa a su nombre en Bankia.

Un iPad 2 por domiciliar la nómina o pensión superior a 2.500 euros.*

*iPad 2 16 GB Wifi: por domiciliación de nómina o pensión en Bankia superior a 2.500 euros, domicilien dos re-

cibos de suministros y tengan una tarjeta operativa a su nombre en Bankia.

Los productos objeto de la promoción tienen consideración de retribución en especie a efectos fiscales, sujeta a retención a cuenta según normativa fiscal vigente. Bankia realizará, en su caso, el correspondiente ingreso a cuenta. Consulte todas las condiciones de la promoción en las bases depositadas ante Notario y publicadas en el portal bankia.es a su disposición. iPad 2TM es una marca registrada de Apple Inc., registrada en EE. UU. y en otros países.

La comercial SIREN estira el brazo y coge del expositor de su derecha un díptico de Bankia, "el primer banco de la nueva banca". Bankia se creó en el 2010, tras el proceso de reestructuración del sistema de cajas de ahorro promovido por el Banco de España. Bankia es la entidad financiera filial del Banco Financiero y de Ahorros, y su presidente ejecutivo era Rodrigo Rato, exministro de Economía en el último gobierno de José María Aznar y exdirector gerente del Fondo Monetario Internacional. Cabe decir que Rato también era presidente del Consejo de Administración del Banco Financiero y de Ahorros. En el díptico aparecen dos personas vestidas de blanco, aparentemente en pijama y aparentemente sobre la cama, de sábanas blancas. Una pareja joven, aparentemente. Leen el diario. El título: "Cada dia mereixes una bona notícia".

Ara, només perquè la teva nòmina o pensió estigui domiciliada a Bankia, tinguis menys de 26 anys o tinguis 1.000 accions de Bankia dipositades a la nostra entitat, no pagaràs comissions de servei.*

*No es paguen comissions de: manteniment i administració del compte d'abonament de la nòmina o la pensió;

del compte vinculat al compte de valors o del teu compte infantil o jove. Alta, emissió, tinença o renovació d'una targeta de dèbit estàndard associada al dit compte. Comissió per ingrés al compte indicat de xecs i pagarés en euros pagadors en el mercat nacional. Comissió per emissió de transferències nacionals en euros i transferències en euros a Estats membres de la Unió Europea fins a 50.000 euros, per mitjà de caixers, Internet o telèfon, llevat dels clients amb la pensió domiciliada, l'ordre de les quals es podrà tramitar en una oficina Bankia sense que es cobri comissió. Promoció vàlida només per a clients de Bankia que siguin persones físiques i consumidors d'acord amb el que estableixen les Bases de la Promoció, dipositades davant de Notari, disponibles a les oficines i publicades a bankia.es

En otro díptico, la letra pequeña también es reveladora. Se trata del documento informativo sobre "tarjetas Bankia": "Lo único que te costará es encontrarlas".

*[...] Porque ahora, al contratar cualquiera de ellas, te ofrecemos la cuota de alta y mantenimiento gratuitas.**

*Cuota de alta gratuita para las tarjetas básicas Bankia (detalladas en las bases) que cumplan las siguientes condiciones. Débito: cliente dentro del programa Sin Comisiones o primera tarjeta de débito contratada. Crédito: primera tarjeta de crédito contratada. Flexible: gratuita sin condiciones. La cuota de renovación también será gratuita para las tarjetas básicas Bankia que cumplan las siguientes condiciones. Débito: cliente dentro del programa Sin Comisiones. Crédito: facturación en comercios

con la tarjeta superior a 4.000 euros por año. Flexible: realización de una compra por año con la tarjeta.

*[...] Pero eso no es todo, porque si contratas ahora alguna de estas tarjetas Bankia podrás llevarte un moderno reloj de regalo.***

Promoción regalo (reloj de pulsera) válida para personas físicas que contraten y utilicen las tarjetas incluidas en la promoción del 15/X/2011 al 31/XII/2011 y limitada a 40.000 unidades. Para la obtención del regalo deberá realizarse el siguiente número de compras entre el mes de contratación y el siguiente: a) Débito: 5 compras; b) Clásica: 3 compras; c) Flexible: 1 compra. Consulte el resto de condiciones en las Bases notariales de la promoción a disposición del cliente en las oficinas de Bankia y en bankia.es

La comercial SIREN se levanta, atiende a una señora que no puede sacar dinero del cajero automático. Un cartel publicitario, en la oficina, echa las campanas al vuelo: "Ventanas y balones firman la paz". Detrás de este reportero, una mesita con publicidad de la casa, y dos sillas que tocan el cristal que da a la calle. A la derecha, al fondo, la mesa del director de la oficina.

Vuelvo al mostrador, sobre el que hay pegado un reclamo para comprar una vivienda: "¿Quieres una vivienda?".

SIREN.—Como te decía, has de traer la nómina y el DNI para abrirte la cuenta. Estamos en campaña, y termina el 5 de marzo. Es fácil, sólo tienes que tener unos dos mil euros de saldo. No tendrás comisiones y tendrás derecho a la primera tarjeta...

"¿Es que hay varias tarjetas?", pregunta, inocente, este reportero. "Por supuesto", responde, "también están las de crédito...".

"¿Y qué ocurriría si cancelo la nómina a mitad de la campaña?", se vuelve a preguntar. SIREN no se piensa la respuesta: "Tendrías que pagar el importe de los regalos".

***

La letra pequeña, traducida por el experto:

La comisión de mantemiento es un cobro que realiza una entidad a un cliente por tener una cuenta. Esta comisión es de una cantidad fija y se cobra de manera mensual, bimestral, semestral o anual.

El Banco de España recuerda en su página web: "Las entidades tienen libertad para decidir los servicios que ofrecen a sus clientes, así como para fijar sus tarifas y comisiones bancarias. No podrán cargar comisiones bancarias o gastos por servicios no aceptados o solicitados en firme por el cliente, ni cobrar dos o más veces por el mismo concepto".

Casilla número 4

Calle de Urgell

Carrer d'Urgell, 152 (BBVA)

¿Tu negocio quiere algo más?

LED
Caja.—Qué curioso, yo pensé lo mismo.
Cliente.—¿Los tenían de todos los colores en la tienda de los chinos?

Entre el *nightclub* Urgell 150 ("prohibida l'entrada a menors de 18 anys") y el Bingo Don Pelayo ("multiplica la teva diversió"), el otro vicio para la perdición: un banco.[4] La sucursal del Banco Bilbao Vizcaya Argentaria (BBVA, www.bbva.es) del número 152 de la calle de Urgell, en el edificio Gloria.

Los azules metálicos bajan el cielo a la tierra, como plebeyos, para ofrecerse y darse el pueblo. En la entrada, un cajero no muy frecuentado. En la puerta, un cerrajero ajusta las bisagras; su mono va a juego con los colores de la marca, tal y como los milicianos de *La defensa de Madrid,* del periodista Manuel Chaves Nogales, altos como espingardas, vestían sus trajes de faena, manchados de grasa, azufre y pólvora.

En el interior, suelo de arcilla blanca, el caolín que acaba de ser fregado. Varias mesas hasta la línea de demarcación, que indica que esperes, en el suelo, sobre las losas. La propaganda oficial se abre en abanico, preferentemente en formato de trípticos, de los que hay colocados casi un centenar en los expositores ("Precaución. Peligro de *atrapamiento* [sic] en el cierre y apertura"). Por un lado, y en un mostrador blanco como las palomas mensajeras, los productos que intentan atraer al cliente de igual forma que las tortugas aligátor mueven la lengua para atraer a los peces que ven en ellas un gusano. Los trípticos, en orden de aparición, con la gama del azul (azul de Sèvres, azul de ultramar, azul Yves Klein, azul Lufthansa, azul humo y azul cobalto), y con sus letras pequeñas:

1. Tríptico número 1: "Acomiada't de les comissions: Al BBVA volem que ens treguis el màxim partit. Per això et convidem a acomiadar-te de les teves comissions, gaudint dels següents avantatges al teu compte: […] una targeta de dèbit o de crèdit BBVA gratis[1] per a cada titular del compte".

¿Qué dice la letra pequeña del superíndice número 1?: **"Una targeta sense quota anual per a cada titular del compte durant la Campanya Ventajas UNO. Vàlida per a comptes que tinguin domiciliats una nòmina superior a 600 euros, o [que cobren] atur superior a 300 euros o ingressos superiors a 600 euros o una pensió superior a 300 euros. [...] El Banc es reserva la possibilitat de modificar-la o cancel·lar-la a partir del 31/XII/2011".**

2. Tríptico número 2: "Has pensat com et mouràs aquesta primavera? Escull quina serà la teva: Aprilia Sport City One 125. Per només 38,73 euros/mes*. 60 quotes".

¿Qué dice el pie de página con el asterisco?: **"El finançament ofert préstec Moto blue està disponible per finançar la compra de qualsevol altre vehicle no previst en l'oferta (tant si és de catàleg de BBVA Servicios com si no). Les condicions són: import mínim 5.000 euros, termini màxim 60 mesos, tipus d'interès 8,25%, T. A. E. 8,55%**

sense comissions. En aquest supòsit no participa en la promoció Xec Moto blue i sorteig d'entrades [...]".

Al final del tríptico, con letra redonda, y de cuerpo 8, las "condiciones de venta" y una selección de puntos clave: "**Tots els preus publicats inclouen IVA. Despeses de matriculació a càrrec del client**"; "**Finançament ofert per BBVA, subjecte a la seva aprovació. Aquesta oferta de finançament no constitueix l'única possibilitat d'adquisició d'aquests productes. BBVA intervé exclusivament com a intermediari en el pagament i/o el finançament**"; "**En cas de controvèrsia en la interpretació o execució que se suscita, les parts hauran de sotmetre's, amb renúncia al fur que pogués correspondre'ls, als jutjats o tribunals de la ciutat del comprador**".

3. Tríptico número 3: "Amb 59+ segueix la recepta perfecta per a viure millor. Aconsegueix productes financers del teu interès. Contracta els nostres productes financers amb condicions molt avantatjoses: Depósito Uno, amb rendibilitat; Préstamo Personal, amb condicions molt avantatjoses per a tu. T'avancem, si ho necessites, fins a tres vegades l'import de la teva pensió: sense interessos".

¿Qué dice la letra pequeña? "**La concessió de préstecs i/o avançament de pensió està subjecta a anàlisi i aprovació del BBVA**".
Prosigue el tríptico: "Si tens 59 anys o més, emporta't aquesta taurus Mycook 59+ [imagen de un "robot de cocina", especie de Thermomix]. PVP recomanat taurus Mycook 799 euros. Aconseguir-la és molt fàcil: domicilia la teva pensió[1]...".

¿A qué remite el número 1?: **"Promoció vàlida fins al 31/ XII/2011. Per a nòmines o pensions noves iguals o superiors a 600 euros o 300 euros, respectivament i subjecta a les condicions que consten al butlletí d'adhesió corresponent que hauran de subscriure prèviament els interessats a qualsevol Oficina BBVA. El lliurament del robot de cuina, a efectes de l'IRPF, és un rendiment del capital mobiliari en espècie, ingrés a compte a càrrec del client (49,37 euros, excepte a Navarra, que serà de 46,78 euros; a les Canàries, de 43,72 euros, i a Ceuta i Melilla, de 41,62 euros)".**

En la ventanilla, este cartel adhesivo: "Per a disposicions d'efectiu fins a 600 euros, utilitzi els nostres caixers automàtics BBVA".

Y caramelos capuchinos BBVA.

Tras el mostrador, el señor que atiende y que en ese momento cuenta los billetes de 50 euros del cajón de su escritorio, una vez avisado de la intención de este reportero de abrir una cuenta, le señala con el dedo índice a una figura que parece de cera, sin brillo en los ojos y con traje gris, que se sienta en la mesa que hay justo a su izquierda, a unos tres metros, separada del corredor central por un biombo en el que se cuelgan las anuncios de venta de pisos, algunos de segunda mano: "BBVA Vivienda. Ahora sí. Tu casa en 48 horas. Casa en Roquetas (Tarragona), por 138.000 euros…". Al lado de las promociones de vivienda, una frase que podría ponerse en boca de un *personal shopper:* "Et fem la vida més fàcil decomprasbbv.com".

El Hombre del Traje Gris se llama STINGWING, y es el director de la oficina.

Primero, el hombre de la ventanilla, sin inmutarse, le grita desde el otro lado:

Ofinista.—¡Este señor viene a abrirse una cuenta!

Y el director STINGWING, apenas sin apartar la vista de la pantalla de ordenador, le informa a este reportero, como si le diera los ingredientes de la ensalada de surimi con vinagreta de mostaza:

STINGWING.—Muy bien, me tienes que traer una nómina y el DNI, para hacerte una fotocopia. Si lo tienes, son 10 minutos.

Este reportero, aún en el pasillo central, balbucea.

Reportero.—Bueno, no lo haría ahora mismo, era para informarme.

Entonces, STINGWING le invita a sentarse. Le pide el nombre y le imprime dos hojas con las condiciones, y que llevan por título "Aprovecha tu banco y despídete de las comisiones":

"Ahora ser el cliente de BBVA tiene muchas ventajas: un banco sin comisiones¹".

¿Qué pone en la letra pequeña a la que remite el número 1, al final de la segunda página?: **"Promoción válida para cada cuenta BBVA (la cuenta) que: (i) Tenga domiciliada una nómina o prestación por desempleo, igual o superior a 600 euros o 300 euros, respectivamente, o que reciba el ingreso periódico por transferencia igual o superior a 600 euros; y una tarjeta activa (cinco retiradas de efectivo en cajero o compras) o domiciliados en la cuenta los recibos de servicios, en los últimos tres meses naturales anteriores a la fecha de liquidación de las comisiones o realización de las operaciones que se indican más adelante. (ii) Esté asociada a la cuenta de valores en que estén depositadas 500 acciones BBVA. (iii) Tenga domiciliada una pensión igual o superior a 300 euros.**

Comisiones de la cuenta exentas. [...]

El Banco se reserva la posibilidad de modificar o cancelarla a partir del 30 de junio del 2012".

STINGWING intenta ser una tortuga aligátor.

STINGWING.—Bueno, y si nos traes la nómina te regalamos un televisor de plasma LED de 26 pulgadas.

Este reportero pregunta qué es LED, y el director se cruza de hombros:
STINGWING.—Pues, LED.

***

La letra pequeña, desencriptada por el entendido:
Tríptico número 1
El BBVA ofrece una cuenta corriente sin comisiones, de la que se pueden beneficiar tanto los trabajadores por cuenta ajena (cuya nómina supere los 600 euros) como los parados (desempleo superior a 300 euros) y los pensionistas (que cobren más de 300 euros). Parece ser que los autónomos que ingresen mensualmente un importe superior a 600 euros también pueden disfrutar de las ventajas de no pagar las comisiones de servicio más habituales, así como las tarjetas de crédito y débito gratuitas.

Tríptico número 2
Es habitual que las entidades financieras ofrezcan préstamos personales para financiar determinados bienes de inversión o consumo. Es una fórmula que, bien utilizada, beneficia tanto al cliente (que puede obtener financiación para adquirir el bien), como al banco, que "vende" la financiación.
Es importante que el cliente compare el precio de compra del bien financiado con sus equivalentes del mercado, no sea que sea más caro el que ofrece financiar el banco que los de cualquier tienda.
Un préstamo personal consiste en una entrega de dinero por parte de la entidad financiera (prestamista) al cliente (prestatario), que se compromete a devolverlo en pagos periódicos de capital más intereses, en un plazo de vencimiento determinado. Si el cliente no paga, el banco intentaría cobrarse embargando la nómina o cualquier ingreso o bien presente o futuro.

Casilla número 5

Calle de Consejo de Ciento

Carrer de Consell de Cent, 316 (Deutsche Bank)

Treballem cada dia per millorar el seu negoci.

'Occupy Wall Street'
Caja.—¡No me digas!
Cliente.—¡Sí, así como te lo cuento, y, entonces, se cayó!...

Entre el restaurante Altinglao ("tapas, cóctels, cafetería, terraza") y la tienda de reprografía digital Service Point, la sucursal de Deutsche Bank (www.db.com).[5]

Dorados en las puertas, con un cajero automático. Abren a las ocho de la mañana. En el interior de la oficina, este reportero se identifica, expone el motivo de su visita, y la contestación que la cajera MOBY le da es siempre la misma:

MOBY.—Ha de hablar con un comercial.
Reportero.—Muy bien...
Este reportero enarca las cejas indicando que está de acuerdo en hablar con ellos.
MOBY.—Si se espera 20 minutos... Ahora están reunidos los comerciales.
Reportero.—Pero si yo ahora quisiera abrirme una cuenta, tendría que esperar.
MOBY.—A los comerciales.
Reportero.—Y no me podría usted decir qué ventajas dan, si hay algún tipo de beneficio.
MOBY.—Eso, los comerciales.
MOBY, con una sonrisa dentrífica, le anota en una hoja el telé-

fono fijo de los comerciales, que ya empiezan a adquirir un aura maligna, como los babalawos de la santería.

Este reportero se dispone a irse.

Reportero.—De acuerdo. ¿Puedo coger algunos trípticos?

MOBY.—Sí, desde luego.

El primero es un folleto sobre fondos de inversión: "Diseñe su ahorro con el primer banco de inversión. Y, además, obtenga hasta 2.000 euros por sus fondos de inversión". Debajo, junto a la firma del Deutsche Bank, la frase: "A Passion to Perform".

La letra pequeña de este díptico viene a continuación de una frase que queda cortada por el asterisco. "Porque le bonificamos*...".

* **"Promoción válida al invertir o traspasar un mínimo de 1.000 euros (dinero nuevo no procedente de inversiones anteriores en Deutsche Bank) en una selección de Fondos de Inversión DB entre el 1/I/2012 y el 31/III/2012. Promoción ofrecida por Deutsche Bank. Condición de permanencia: el saldo invertido o traspasado deberá mantenerse durante un año a partir de la fecha en que se realice la inversión o el traspaso. En caso de retirarse total o parcialmente se practicará una penalización en cuenta según condiciones de contratación. Límite de bonificación conjunto y unitario por partícipe y por año, incluyendo los importes procedentes de otras promociones del 2012, de 2.000 euros brutos. La bonificación tiene consideración de rendimiento de capital mobiliario y está sujeta a una retención al tipo vigente en el momento de devengo de la bonificación, por lo que el cliente recibirá el importe neto descontando la retención. A fecha de edición de este folleto (diciembre 2011), el tipo vigente es del 19%. Promoción limitada a un total de 500.000 euros brutos en bonificaciones."**

El segundo "documento publicitario" es una especie de librillo desplegable: "DB Evolution. Acceda hoy mismo al futuro de las inversiones. Descubra la nueva gama DB Evolution: le permitirá ganar cuando los mercados suban, y protegerse cuando bajen".

En el interior, diagramas con el "histórico de rentabilidad y estabilidad":

"En el gráfico anterior podrá observar la evolución simulada*..."

* "Datos correspondientes a la simulación realizada desde el 1 de enero de 2004 al 9 de diciembre de 2010. Resultados reales adaptados a la selección de las gestoras elegidas. La simulación no recoge el efecto derivado del coste de cobertura de las posiciones en divisas. Fuente: ETS/Bloomberg/DWS. Rentabilidades pasadas no garantizan rentabilidades futuras."

El tercer folleto es una hoja volante con el "pla de pensions renda fixa 2016", una "novedad Deutsche Bank".

Después de describir las características, y debajo de todo, la letra pequeña, que es una única frase: **"Cartera del model inicial. La política d'inversió admet la possibilitat d'invertir en altres països".**

Antes de salir de la sucursal de Deutsche Bank de la calle de Consell de Cent, este reportero se vuelve a dirigir a la cajera de la oficina:

Reportero.—¿Puedo coger una de estas revistas?

Cuatro ejemplares del *Magazine for Deutsche Bank* se exponen en una mesita, al lado de la puerta que da a la calle. No hay arco de metal.

El tema central de portada es el movimiento Occupy Wall Street, "el otoño estadounidense", en el Zuccotti Park de Manhattan, en Nueva York.

En la fotografía, un chico se desgañita. Detrás de él, alguien levanta un cartón en el que se ha escrito con rotulador negro: "Human bonds are worth more than treasury bonds". En otra pancarta pone: "Trust me, I'm a banker".

El titular del reportaje es: "Occupied. Purpose, profit and trust in the finance industry".

La entradilla: "New York, London, Frankfurt: people around the world are expressing resentment towards banks and the financial system. How can Deutsche Bank and its peers turn the tide of discontent and rebuild public trust?".

MOBY.—Llame por teléfono a los comerciales, ellos le sabrán decir lo que quiere saber.

Los comerciales habrán *okupado* Deutsche Bank.

***

La letra pequeña, traducida por el experto:
Primer folleto

En este caso, Deutsche Bank bonifica al cliente que traspasa un fondo de inversión desde otra entidad (operación que no tiene coste operativo ni fiscal) o bien compra participaciones nuevas de un fondo de inversión del Deutsche Bank, por importe mínimo de 1.000 euros.

Para recibir la bonificación íntegra sin penalizaciones posteriores, el cliente ha de mantener las participaciones en el fondo de inversiones durante un año como mínimo.

Los fondos de inversión son una especie de fondo de dinero, que invierte en multitud de activos diferentes según la política de inversión expresada en el folleto del fondo. Hay fondos que invierten en deuda pública y otro tipo de renta fija, en acciones y en multitud de activos y zonas geográficas. Según estemos dispuestos a perder capital a cambio de rentabilidad esperada o no, elegiremos un tipo u otro de fondo.

Se compran participaciones del fondo, pequeños trozos del total. Por lo tanto, podemos invertir de forma muy diversificada y mediante gestores expertos, simplemente comprando trozos del fondo. No se tributa hasta que no se venden las participaciones, y se puede ir cambiando de fondo sin penalización fiscal.

Segundo folleto

Hay productos complejos que utilizan los gestores, normalmente derivados financieros, que permiten proteger la inversión en el caso de que el valor del activo baje, pero beneficiándose de las subidas.

Tercer folleto

Un fondo de inversiones cuya política de gestión se limita a la renta fija de determinados países. La renta fija son productos que rentan un porcentaje fijo, por ejemplo, la deuda pública o los bonos de empresas privadas, que dan cupones que se conocen en el momento inicial de la inversión.

La renta variable, en cambio, ofrece una rentabilidad que no se conoce de antemano; son las acciones y otro tipo de productos cuya ganancia depende del mercado en el que se invierte.

Casilla número 6

Calle de Muntaner

Carrer de Muntaner, 433 (Banca Cívica)

Dona't un caprici.

Supermán

Caja.—¿Así te va bien?

Cliente.—Dame dos de cinco, dos de diez, y el resto, de veinte.

Entre la tienda Exuberant ("regal, joguina, ferreteria, papereria, perfumeria, plàstic, neteja, cuina, etc.") y la Farmàcia Copèrnic, 47 ("prenem correctament els medicaments"), Banca Cívica (www.bancacivica.es), con su logo en forma de árbol con frutos.[6]

Ocupa la esquina de Muntaner con Copèrnic, un espacio amplio y soleado. Dentro, en un panel, las ofertas con los depósitos y los fondos de inversión. Al fondo, la caja, en la que chico y chica se codean. Detrás de ellos, PORCUPAIN, comercial atento, en posición de firmes, les asiste.

Reportero.—Querría abrirme una cuenta y querría saber qué me dais.

PORCUPAIN.—Depende de qué cuenta quieras abrirte.

Reportero.—La normal.

PORCUPAIN.—¿Una cuenta corriente de ahorro?

Reportero.—Sí, esa misma.

PORCUPAIN.—Pues tienes que darme el DNI y traer la nómina si no quieres que te cobremos comisión.

Reportero.—Y ¿si no tengo nómina?

PORCUPAIN.—Tendrías que tener 300 euros mínimo en la nómina, siempre; si no, te cobraríamos comisión.

Reportero.—¿De cuánto es esa comisión?

PORCUPAIN.—No somos de los bancos que más cobramos, unos seis euros por trimestre.

Reportero.—Ok.

PORCUPAIN.—Entonces te daremos un código para que puedas tener acceso a tu cuenta por internet.

Reportero.—Perfecto.

PORCUPAIN.—Y luego, si quieres, tienes la posibilidad de hacer un depósito bancario.

En la información facilitada, un señor disfrazado de Supermán se rasga la camisa, y se ve el traje azul en el que en lugar de una ese de Supermán aparece un *tanto por ciento*. La letra pequeña del Depósito Acierto Superinterés ("Aquí, tu dinero tiene Superintereses"):

"Cupón al vencimiento: 3,15% para 15 meses, 3,80% para 18 meses, y 5,05% para 24 meses. Los intereses generados tienen la consideración de rendimiento del ahorro y están sujetos a retención fiscal, según la normativa fiscal vigente. En el caso de depósitos con liquidación de intereses a vencimiento y plazo de 24 meses, se difiere el pago a Hacienda de la nueva tributación temporal a los rendimientos del capital. Información fiscal orientativa en base a la normativa estatal. Consulta con nuestros asesores tu caso particular".

Reportero.—¿Lleva mucho en la entidad?

PORCUPAIN.—Personalmente llevo tres meses.

La chica de al lado contesta: "Yo llevo más tiempo. Antes éramos Monte Piedad [Caja de Ahorros y Monte de Piedad de Navarra], luego fuimos Cajasol, ahora somos Banca Cívica, y mañana seremos de "la Caixa"".

***

<u>El entendido desencripta la letra pequeña:</u>

Los depósitos a plazo fijo son, junto a las cuentas corrientes con interés, el producto de ahorro más sencillo y seguro al alcance del ahorrador tradicional. El Fondo de Garantía de Depósitos asegura que, en el caso de liquidación de la entidad financiera, el cliente siempre cobrará como mínimo 100.000 euros si los tiene en cuentas o depósitos.

A cambio de tener el dinero parado en el depósito, el banco nos ofrece intereses, que pueden ser abonados de forma periódica o al vencimiento (nos entregarían el capital más los intereses correspondientes).

Los intereses tributan en el IRPF como rendimientos del capital mobiliario. En el caso de depósitos a más de un año con pago de intereses al vencimiento, se tributaría por los intereses en el año en el que se cobran.

Casilla número 7

Calle de Aribau

Carrer d'Aribau, 49 (Banco Popular)

Torna el Depósito Gasol.

Rasca i Guanya

Cliente.—¿Qué quieres que te diga, chica? A mí Almodóvar me carga.

Caja.—A mí me pasa lo mismo con Woody Allen.

Entre el spa-lounge-hair Bali Spirit ("masajes Bali") y la tienda de zapatos Conti Stocks *("outlet")*, el Banco Popular (www.bancopopular.es).[7]

Marrones de sillar, con el color de la almendra. De la fachada sobresale el cartel de Telebanco, azul Ágatha Ruiz de la Prada. Se exhibe la imagen del jugador de baloncesto de la NBA Pau Gasol, que promociona los depósitos de ahorro para particulares ("depósito Gasol 12 meses, depósito Gasol 6 meses y depósito Gasol 18 meses"; el último de los productos y servicios bancarios para particulares —depósitos, tarjetas, nóminas, fondos de inversión y banco *online*— lleva por título "Terremoto Haití").

El interior, sobrio. A la derecha, un tablón de anuncios: "Aquest establiment disposa de fulls de reclamació/denuncia a disposició dels clients". En el tablón, el texto de la ley de protección de datos.

A la izquierda, un pasillo que conduce a las dependencias interiores, previo paso por algunas mesas en las que se gestiona el porvenir económico de la clientela. En ese caminar, un par de sillones tapizados de rojo, de una tela similar al tafetán. Al lado, tres carteles con sus iconos: "Riesgo eléctrico"; "No fumar" y "Zona videovigilada". Y una serie de buzones, cuyas llaves custodia como un mastín MOBULA. Y un cartel de la oenegé católica Manos Unidas, cuyo fundamento es "el Evangelio y la doctrina social de la Iglesia": "Madres sanas, derecho y esperanza".

Este reportero se acerca a la cajera MOBULA.

MOBULA.—Si quieres abrirte una cuenta normal en una libreta de ahorros común, no te damos nada. Al contrario, pagas: 19,50 euros por semestre, en concepto de gastos de mantenimiento. Para ello sólo nos tendrías que traer el DNI.

Reportero.—Y las campañas para abrir cuentas…

MOBULA.—Ahora no tenemos ninguna.

Reportero.—¿No queda ningún tríptico de alguna de ellas?

MOBULA.—No, se destruyen enseguida, para no inducir a error.

De los trípticos que quedan, sobresalen tres entre el marasmo de posibilidades: hay casi una treintena, desde la ayuda al Tercer Mundo de Misiones Salesianas (con las imágenes de niños negros, semidesnudos, que sonríen y miran a la cámara del fotógrafo) hasta los pisos que vende Gestión Inmobiliaria Aliseda (de los 39.000 euros que vale un piso de 74 m² en Sotrondio, en Asturias, a los 500 mil euros que vale un chalé en Vigo, con vistas al mar y con piscina).

Tres son los trípticos cogidos al vuelo. Con sus respectivas letras pequeñas:

1. Título: "Amb una, podem assolir els nostres objectius… Però amb dues, els assolim millor". Sobre las tarjetas Global (American Express Global Bonus Élite de Banco Popular+Visa Global Élite de Banco Popular), "que funcionen com una sola, amb les quals arribarà més alt i més lluny".

   "Ara, durant el primer any, no pagui quota de manteniment per cap de les targetes.[1]"

   [1]**A partir del segon any, es cobrarà una quota de 70 euros per a les targetes Global Élite, i de 28 euros per a les Global Classic.**

"Li tornem un 2% de l'import de les seves compres el primer any, i un 1% permanent la resta d'anys.²"
²**La bonificació, la resta dels anys, será de l'1% per a l'American Express Global Bonus Élite i del 0,5% per a l'American Express Global Bonus.**

"Traduït en euros és...³En total, la seva targeta li tornaria 50 euros als sis mesos, i 100 euros a l'any."
³**Exemple calculat per a una American Express Global Bonus Élite.**

2. Título: "Contracti la Tarjeta Iberia Sendo Business Oro i aconsegueixi: Quota gratis el primer any+un vol amb Iberia". "Aconsegueixi 450 punts Iberia Plus Extra només pel fet de pagar les seves despeses corporatives amb la Tarjeta Iberia Sendo Business American Express Oro. Amb Iberia Sendo Business Clásica aconsegueixi 300 punts Iberia Plus de regal.*"
* Vàlid per a noves altes Iberia Sendo Empresa (Business i Corporate) contractades des de l'1 de juliol de 2011 fins al 30 de setembre de 2011. S'abonaran 450 punts Iberia Plus, per al cas d'Iberia Sendo Corporate i Iberia Sendo Business Oro, sempre que el titular assoleixi un consum en comerços d'almenys 1.000 euros amb la Targeta Iberia Sendo American Express dins de les tres primeres liquidacions (s'exclouen les disposicions d'efectiu i les operacions en caixer o finestreta de qualsevol entitat financera). En el cas de noves altes Iberia Sendo Business Clásica s'abonaran 300 punts Iberia Plus en les mateixes condicions referides [...].

3. Título: "Tingues-ho en compte! Torna el Rasca i Guanya amb més de 70.000 regals nous". En la imagen de portada, una tableta iPad, un ordenador portátil i un mp3. En el interior, Pau Gasol, vestido con camisa blanca y pantalones de pinza, arremangado y con una pelota en la mano.

"Per cada 300 euros d'increment, et donarem un rasca.[1]"

   [1] **Màxim 10 rasques al mes per client.**

"Mensualment, t'informarem de quants n'has aconseguit. I podràs consultar-ho sempre que vulguis a la teva sucursal, a l'extracte, a la web o via SMS[2], enviant RASCAS+NIF al 217375."

   [2] **El cost de cada missatge enviat és de 0,30 euros més impostos indirectes.**

MOBULA informa a este reportero de los pormenores de su decisión: "Si quisieras, además, te daríamos la clave para operar por internet, que cada vez es más utilizado…".

***

<u>La letra pequeña, a ojos del especialista:</u>

1. Son tarjetas de crédito que permiten al contratante beneficiarse de un abono de un 2% (primer año) y de un 1%-0,5% (el resto de años) de lo que el cliente gaste. Hay que tener en cuenta que siempre hay un límite a lo que nos devuelven en cuenta, momento en el que por mucho que se gaste de más, no se nos abona cantidad alguna (por el *clausulado* podría ser que el límite fueran los 100 euros anuales). Además, el coste de mantenimiento de ambas tarjetas a partir del primer año es bastante considerable, de 98 euros en total, lo que, seguramente, no compensa, por mucho que nos devuelvan de nuestras compras (que, además, si se pagan a crédito, tienen un

coste financiero alto).

2. Tarjeta de fidelización de Iberia, que otorga puntos canjeables por vuelos cada vez que uno gasta.

3. Estos *rasca* no se sabe a qué hace referencia.

Casilla número 8

Avenida de Infanta Carlota

Avinguda de Josep Tarradellas, 155 (Banco Santander)

Queremos ser tu banco.

18 de maig de 2021

Cliente.—Ya era hora de que lloviera, que estaba todo seco.
Caja.—Dice el hombre del tiempo que hasta el lunes no despejará.

Entre el restaurante La Botiga ("restaurant de confiança") y una farmacia ("dermocosmètica pròpia"), el Banco Santander (www.bancosantander.es)[8], con ese rojo Ferrari que el piloto Fernando Alonso ha dibujado en sus paneles de cartón: la figura de Fernando Alonso, de tamaño real, por doquier, vestido con el mono rojo de las hazañas en los Grandes Premios del campeonato mundial de Fórmula 1: Mónaco, Pescara, Abu Davi, San Marino…

La cara de Alonso, calado con gorra con visera, al lado de este cartel, como la bandera amarilla que se agita para que los monoplazas reduzcan la velocidad: "Comparem asseguradores de primer nivell perquè estalviïs en l'assegurança del cotxe".

Y otra bandera, con letras que dan a la calle: "Desde aquí envía dinero gratis a los tuyos". *Dinero gratis.*

En la entrada, la doble puerta que detecta los metales y las granadas propulsadas por cohete, con ojiva explosiva: "Este sistema ha detectado metal. Por favor, deposite sus objetos metálicos en los casilleros de la entrada".

En la jamba del arco, de estilo neogótico, aséptico y barbitúrico, la información, como en los aeropuertos: sí se puede acceder con llaves; no se puede acceder con maletines, paraguas, cámaras de fotos ni pistolas.

Este reportero lleva una cámara de fotos digital. El arco se abre y se cierra y la voz femenina de los casilleros enmudece.

Un largo pasillo de suelos blancos y expositores con más de una docena de trípticos con información variada, panfletos con composiciones artísticas de familias felices y gustosas de gastar. El rojo del extintor hace juego con el color que sirve de patente al Banco Santander.

El primer cuadríptico que este reportero coge al azar lleva por título: "Santander Select, la banca personal del millor banc d'Espanya*".

Detrás de *España,* hay un asterisco. La fotografía en blanco y negro muestra lo que se supone que debe de ser un matrimonio feliz (él, sin ratón inalámbrico, consulta algo en un ordenador portátil; ella, estirada, apoya su cabeza sobre el hombro de él; el mobiliario blanco, como el de la Moncloa de los bonsáis de la pareja formada por Carmen Romero y Felipe González). El asterisco remite a esta información: **"Millor banc d'Espanya segons Euromoney".**

Se echa mano de Wikipedia (en esta entrada no hay traducción al castellano, sólo al inglés y al ruso): *"Euromoney* es la principal revista de negocios financieros, editada por Euromoney Institutional Investor".

El siguiente asterisco, una vez abierto el tríptico, se encuentra en el punto cinco de la presentación de "Santander Select": "Programa 'Volem ser el teu banc', amb què gaudireu de 0 euros en comissions de serveis indefinidament*".

La letra pequeña dice: **"Comissions no financeres. Benefici de caràcter no contractual. Consulteu-ne les condicions i els requisits a les bases disponibles a les oficines del Santander o www.bancosantander.es".**

El segundo cuadríptico, en acordeón, contiene una imagen de

portada que juega con la preseñalización: señales sobre la calzada en carretera convencional hacia... "Moderat", "Decidit" y "Prudent": "Siguis com siguis, segueix el teu pla [de pensiones]".

La letra pequeña de la Entidad Gestora Santander Pensiones se extiende por las cuatro caras, desplegado el cuadríptico.

El texto original: "El meu pla Santander Estalvi[1]. [...] A diferència dels altres plans garantits, pots continuar efectuant aportacions[2] amb un valor garantit a venciment de 125 euros[1] per participació. [...] 0 euros comissions de serveis.[3] [...] El teu pla de pensions Santander et porta directament a aconseguir regals[4].

La letra pequeña:

1. **Garantia externa atorgada per Banco Santander, S. A., que garanteix que el valor de liquidatiu de les unitats de compte subscrites fins al 14 de maig de 2019 (inclòs) arribaran, el 18 de maig de 2021, com a mínim fins a 125 euros, i si no ho fa, Banco Santander, S. A. n'abonarà la diferencia.**

2. **Fins al 14 de maig de 2019 o fins a arribar a un valor liquidatiu de la participació de 125 euros.**

3. **Comissions no financeres. Benefici de caràcter no contractual.**

4. **Podreu obtenir algun d'aquests regals en funció de les aportacions o els traspassos que efectueu al pla de pensions. Consulteu-ne les condicions a la vostra oficina. Promoció vàlida per a aportacions efectuades a plans de pensions individuals des de l'1/I/2011 fins al 31/XII/2011 i per a net de traspassos externs des d'una altra entitat a plans de pensions individuals que s'hagin rebut des de l'1/VIII/2011 fins al 15/I/2012. No tenen dret a regal les operacions de traspàs extern que es beneficiïn d'una altra promoció específica. No són vàlides les aportacions o els traspassos a plans d'ocupació que**

gestioni Santander Pensiones, EGFP. Si s'exhaureixen les existències del regal, aquest se substituirà per un altre de característiques iguals o similars i de valor no inferior a l'actual.

El primer díptico que este reportero coge al azar lleva por título: "Cap autònom no hauria de pagar comissions de serveis*". El asterisco nos lleva a esta frase, en letra minúscula, en el interior: **"Comissions no financeres. Benefici de caràcter no contractual"**.
Del texto original:

És tan senzill com a domiciliar al Santander el pagament de la Seguretat Social d'Autònoms i mantenir 500 euros de saldo mitjà al mes en productes d'estalvi.[1]

O, si ho preferiu, podeu contractar[2] com a mínim dos dels productes següents:

-Domiciliar al banc el pagament de la Seguretat Social d'Autònoms (RETA o mútua)[3] o de la PAC.

-Tenir domiciliats al banc els ingressos per TPV per un import de més de 1.000 euros/mes.[4]

-Disposar d'un compte de crèdit de més de 12.000 euros.

-Tenir una hipoteca o un pla de pensions al Santander amb una aportació anual de 1.000 euros o més.

-Disposar d'un saldo de més de 12.000 euros en productes d'estalvi[1] del Santander (comptes+dipòsits+fons d'inversió+plans de pensions individuals+assegurances d'estalvi).

-Ser la persona beneficiària d'un préstec ICO[5] contractat amb nosaltres, amb un import de més de 12.000 euros.

-Tenir 1.000 accions[6] del Santander o més dipositades a la nostra entitat.

[...]

-Tramesa de diners de franc a través de Santander Envíos.[7]

La letra pequeña:

1. **Saldo mitjà mensual, valors exclosos.**
2. **Com a primera persona titular i dos productes que no siguin iguals.**
3. **Clients que domiciliïn al banc el pagament al Règim Especial de Treballadors Autònoms (RETA) per un import de més de 175 euros el mes, o els pagaments a mutualitats professionals alternatives a la Seguretat Social per un import de més de 100 euros el mes, 325 euros el trimestre, 650 euros el semestre o 1.300 euros l'any, alternativament, segons la periodicitat de pagament.**
4. **Per a persones físiques o persones jurídiques que duguin a terme alguna activitat de comerç al detall amb una facturació anual de menys de dos milions d'euros.**
5. **Persones titulars d'operacions de préstec acollides al Conveni ICO, mentre estiguin en vigor, que siguin persones físiques o jurídiques que duguin a terme alguna activitat de comerç al detall amb una facturació anual de menys de dos milions d'euros.**
6. **Per a accionistes persones físiques titulars d'un mínim de 1.000 accions del Santander dipositades a Banco Santander.**
7. **Màxim de 2.000 euros/mes i tres trameses/mes per client.**

En ventanilla, este reportero quiere pedir información para abrir una libreta de ahorro. El cajero, con bigote de José de Espronceda, acompaña a este redactor al otro lado de una viga-columna de acero y hormigón, pintada de blanco. Allí, en un minidespacho, un compartimento movible, que podría cambiar de ubicación en segundos por obra de los ingenieros y capataces de la constructora

Broad Sustainable Building, BEATWIDOW invita a que te sientes.

BEATWIDOW.—¿Qué tipo de cuenta desea abrir?

Reportero.—Una normal…

BEATWIDOW.—¿Algún producto en especial?

Reportero.—No, una libreta de ahorro, la normal.

BEATWIDOW.—Pues, con que nos traiga la nómina y el DNI ya estaría, se la haríamos al momento.

Reportero.—¿Tienen alguna promoción?

BEATWIDOW.—Sí, con la nómina y con un depósito de 7.000 euros durante 18 meses (al 2% de interés)…

Reportero.—¿Algún regalo?

Reportero.—Sí, claro, la tele.

***

La letra pequeña, desencriptada por el especialista:

El Plan de Pensiones "Mi Plan Santander Ahorro" es un plan de pensiones garantizado que nos asegura que no perderemos dinero invertido (125 euros por participación en el plan de pensiones), siempre y cuando el rescate del plan se corresponda con la fecha de vencimiento de la garantía que ofrece Banco Santander (en el caso de rescatar el plan antes o después, se elimina el beneficio de la garantía).

Los planes de pensiones garantizados, al igual que los fondos de inversión garantizados, hay que entenderlos, ya que no son lo mismo que un depósito a plazo, ni mucho menos. La garantía de los planes de pensiones (técnicamente 'fondos de pensiones') es sólo en una fecha determinada. Si se necesita el dinero antes o después de esta fecha, no hay garantía que valga, y cobraremos en función de la cotización del fondo en ese momento.

Banco Santander no cobra comisiones por los servicios habituales (mantenimiento, cheques, etc.) a los autónomos que domicilien el pago a la Seguridad Social como autónomo y que tengan ahorrados por lo menos 500 euros de media en un producto del banco. También se benefician de la ausencia de comisiones los autónomos que tengan contratados dos productos de la lista anterior.

Casilla número 9

Paseo de San Juan

Passeig de Sant Joan, 101 (Bankinter)

La vida no es paga en televisors. Es paga en euros.

El motorista

Cliente.—¿Tiene calendarios?
Caja.—No, se me han agotado.

En la esquina del Passeig de Sant Joan con la Avinguda de la Diagonal, entre una farmacia ("la dieta proteinada [sic]") y un concesionario de motos de la marca Honda ("financiación 0% interés"), la sucursal de Bankinter (www.bankinter.com).[9]

"Empujen." Se empuja la puerta que da a la calle y, posteriormente, se traspasa el arco de metales. La señora de la limpieza, inmigrante, es un ser invisible: por donde pasa la fregona, los demás pisan. La mesa de SALMA, enfrente. Ambiente relajado. Sin excesiva camaradería, el recibimiento es familiar. SALMA no salta de la silla como un resorte. Extiende la mano y luego llega el eco de sus palabras, silabeadas con cuentagotas, con demasiado tiempo. Es una sucursal extraña. No imperan las prisas.

SALMA.—Siéntese.

Este reportero toma asiento.

SALMA.—Ya ve que aquí no hay trampa ni cartón. Le explico las condiciones de la cuenta que ahora estamos promocionando…

SALMA avisa…: "Aquí no damos televisores, damos dinero". Y lo enlaza con una media sonrisa pícara que entona con su buen humor. SALMA es una persona joven, dinámica, serena, con una mirada cósmica en la que sondear las predicciones de los inversores bursátiles, cuanto menos. Con chaqueta americana de corte princesa, no le afectan las interrupciones a deshora, que lleva con tanta paciencia como una mujer atesora los días en el sexto mes de gestación. Lo que dice se lo cree: "La vida no es paga en televisors. Es paga en euros".

El díptico que despliega sobre la mesa, recogida y de cedro, muestra a una chica de unos treinta años con mirada seductora. Viste una cazadora de cuero, con costadillos delante. El eslogan echa por tierra esta imagen de locura consumista: "La vida no es paga en videoconsoles. Es paga en euros". "Bankinter li ofereix el Compte Nòmina que més li dóna pels seus diners. 5% T. A. E. el primer any. 2% T. A. E. el segon any."

"Estas son unas condiciones extraordinarias:

-La posibilidad de hacer transferencias nacionales sin comisiones.

-No hay comisiones de mantenimiento.

-Tampoco hay comisiones por la tarjeta.

-SMS gratis en el caso de que le roben la tarjeta.

-Nosotros le hacemos el cambio de recibos.

-Descubierto autorizado en la cuenta corriente…"

La letra pequeña, en la página impar, abajo: **"Promoció vàlida fins al 31 de juliol de 2012. Exclusiu per a nous clients amb nòmina des de 1.000 euros. Saldo màxim per remunerar 5.000 euros. Permanència de dos anys des de l'ingrés de la primera nòmina. Primer any: tipus d'interès nominal anual 4,94% (5% T. A. E.). Segon any: tipus d'interès nominal anual 1,99% (2% T. A. E.). Liquidació semestral. Exemple per a saldo en compte nòmina diari de 3.000 euros, calculat per a un període de liquidació de 180 dies, remuneració bruta: 1er semestre, 72,89 euros; 2on semestre, 72,89 euros; 3er semestre, 29,44 euros; 4t semestre, 29,44 euros".**

El díptico "Plans de pensions" es de color negro. En la parte superior, en un amarillo piedra, la frase: "Per a nosaltres, la seva jubilació es mereix el nostre màxim interés".

Debajo, en naranja, la imagen corporativa de Bankinter.

En el interior, de color amarillo verano, la letra pequeña, debajo de un monumental "Fins a un 4%":

"La bonificació és del 4% brut per a traspassos de plans de pensions superiors o iguals a 50.000 euros (el 3% per a traspassos de plans de pensions d'entre 30.000 i 50.000 euros i el 2% si l'import és inferior a 30.000 euros i igual o superior a 3.000 euros) del saldo corresponent al net de traspassos d'entrada i de sortida sol·licitats durant el període de la promoció, i s'abonarà el 23 de desembre de 2011 (els imports traspassats fins al 30 de novembre) i el 23 de març de 2012 (els imports traspassats entre el desembre i el febrer). Bankinter Seguros de Vida, S. A. Companyia d'assegurances i reassegurances. Les ofertes són incompatibles entre sí. Bases del sorteig a bankinter.com".

El sorteo hace referencia al siguiente punto: "Si encara no disposa de pla de pensions i contracta un per primera vegada (per un import superior a 1.000 euros), podrà participar en un sorteig de 5 iPad".

Las bases del sorteo se pueden consultar en un documento en formato pdf de cinco páginas: "Se exonera al Banco de responsabilidad ante cualquier daño o perjuicio que pudiera sufrir el Cliente como consecuencia de errores, defectos u omisiones en la información facilitada por el Banco, siempre que proceda de fuentes ajenas al mismo; así como de los daños o perjuicios que pudiera sufrir el partícipe ganador como consecuencia de la aceptación y disfrute del premio asignado [...]".

El tríptico en el que se informa de los seguros de vida juega con las agendas de los padres del siglo XXI, héroes atareados a quienes han de socorrer las superabuelas. La portada contiene este texto: "Dijous 26 abril de 2012:

09.30 – Portar els nens a l'Scola [sic]

11.30 – Reunió amb el director de comptes

11.45 – <u>Motorista despistat</u> [subrayado]

13.30 – Dinar amb en Lluís

14.30 – Esglaó que rellisca entre la segona i la tercera planta de l'edifici".

Debajo, este texto: "Assegurances de vida. Sempre hi ha coses que no es poden controlar. Bankinter".

En el interior, esta oración: "El dia a dia està ple d'imprevists. Aquí té les millors opcions per estar protegit".

Tres tipos de seguros: 1. "Assegurança d'amortització de préstecs"; 2. "Assegurança de vida protección 100", y 3. "Assegurança de vida exprés".

La letra pequeña: **"Bankinter operador de banca seguros vinculado, inscrito en el registro administrativo especial de mediadores de seguros, corredores de seguros y de sus altos cargos con la clave OV-0028. Bankinter, S. A. como OBS vinculado, tiene suscritos contratos de agencia de seguros con las siguientes entidades: Bankinter Seguros de Vida, S. A.; Línea Directa Aseguradora, del Grupo Bankinter; Groupama Seguros y Reaseguros, S. A; Liberty Seguros…".**

SALMA.—Toma mi tarjeta.

Detrás del teléfono de la entidad, con la dirección de correo electrónico, la web de Bankinter, con este acompañamiento: "Si piensa que todos los bancos son iguales, queremos conocerle".

SALMA.—Nos gusta hablar claro. Para abrirte la cuenta necesitaríamos el DNI, la nómina, por supuesto, y un comprobante del domicilio fiscal, que puede ser el empadronamiento, por ejemplo… ¿Te interesa?

***

El entendido desencripta la letra pequeña:

Esta cuenta nómina de Bankinter ofrece remuneración en efectivo, no en especie. Nos da unos intereses del 5% T. A. E., el primer año, y un 2% TAE, el segundo. El abono de intereses se hace cada seis meses, sufriendo el importe una retención a cuenta del IRPF por rendimientos del capital mobiliario (del dinero, en definitiva).

Por otra parte, es también habitual en la práctica bancaria que se ofrezca una bonificación si el cliente traspasa su plan de pensiones de otra entidad al banco en cuestión, siendo del 4% si el importe ahorrado en el plan de pensiones que se traspasa a Bankinter es de 50.000 euros o más; del 3% si está entre los 50.000 euros y los 30.000 euros, y del 2% si supera los 3.000 euros pero no llega a los 30.000 euros. En todo caso, este importe se mira en función de los traspasos que lleguen a Bankinter menos los traspasos de fondos que pudieran salir de Bankinter, del mismo cliente.

El traspaso de un plan de pensiones no tributa, ya que el pago de impuestos se produce sólo cuando se cobra el importe ahorrado en el plan (se rescata el plan de pensiones).

Casilla número 10

Calle de la Diputación

Carrer de la Diputació, 49 (Chaabi Bank)

Pasa las vacaciones con los tuyos.

La Mezquita
Cliente.—Nos va bien. Y ¿tu hermano?
Caja.—Mejor, gracias, estuvo unos días con gripe.

Emparedado entre dos oficinas del Gabinet de Traduccions Jurades ("locutorio-internet, servicios varios"), la cuarta oficina en España de Chaabi Bank (www.chaabibank.es), después de las de Madrid, Almería y Bilbao.[10]

El logo es un caballo bayo que cabalga.

Se trata de la sucursal en España de un banco de inversores marroquíes, esencialmente. Enfrente, en Diputació, 68, el Consulado General de Marruecos en Barcelona.

Dentro de la oficina, con doble puerta de seguridad, se respira un aire sano, de trabajo. Un mostrador largo con dos cajeros da paso a una salita de reuniones con otras dos mesas para agentes comerciales. Entre cada mesa, plantas que no son de plástico. En las paredes, pintadas de blanco, carteles con la propaganda de la entidad financiera.

Al fondo, como viene siendo habitual, la oficina del director.

FLAMECLAW es alto, estirado y posee una sonrisa que podría parecer jactanciosa pero que es muy servicial. En su mesa, con cuatro adornos, los científicos federales de *Mentes criminales,* de la Unidad de Análisis de Conducta de Quantico (Virginia, Estados Unidos), podrían elaborar un perfil: el ratón descansa sobre la alfombra voladora de Aladino; folletos de Grimaldi Lines (con las tarifas de la conexión Barcelona-Tánger); una hucha para recoger dinero que se ha de enviar a los orfanatos marroquíes y una pequeña miniatura de la Mezquita de Córdoba.

FLAMECLAW.—Para abrirse una cuenta sólo se necesita el DNI.

Reportero.—¿Yo podría abrirme una, aun sin ser ciudadano marroquí?

FLAMECLAW.—Claro, estamos abiertos a todos. La oficina abrió hace tres años, especialmente por facilitar el envío de dinero a Marruecos de los súbditos que viven y trabajan en España: ellos envían dinero a sus familias, y es más fácil para las empresas que tengamos una ventanilla abierta… Muchos de nuestros clientes son empresas españolas que tienen buenos negocios en Marruecos.

Reportero.—Y ¿cómo se llama la cuenta de ahorros?

FLAMECLAW.—Cuenta Chaabi.

En el folleto de la Cuenta Chaabi, un avión despega, en el ocaso del sol. La frase "Gana un vuelo de ida y vuelta a Marruecos" centra la página: "Sólo por abrir tu Cuenta Chaabi entre el 15 de mayo y el 31 de julio de 2012".

Más abajo, se desgrana la información: "Como sabemos que te gusta disfrutar de las vacaciones en casa con tu familia, te haremos partícipe de un sorteo de cinco vuelos a Marruecos sólo por abrir una Cuenta Chaabi entre el 15 de mayo y el 31 de julio del 2012*".

El asterisco redirecciona a esta frase: **"El valor del vuelo constituye para el perceptor una ganancia patrimonial gravada por el Impuesto sobre la Renta de las Personas Físicas, pudiendo estar sujeta a ingreso a cuenta conforme a la normativa fiscal aplicable".**

Reportero.—Y ¿no hace falta que traiga una nómina?

FLAMECLAW.—Muchos de los que vienen aquí no tienen trabajo, así que de nada sirve pedirles una nómina. Necesitan la cuenta para cobrar la prestación por desempleo.

***

El entendido desencripta la letra pequeña:

En este caso, la entidad financiera ofrece un regalo en forma de participación para un sorteo de un viaje a Marruecos. En el caso de ser premiado, el cliente que haya abierto la cuenta tendrá que tributar el IRPF por el valor de mercado del viaje, en concepto de remuneración en especie.

No se exige domiciliación de nómina ni otro requisito más allá de abrir la cuenta en el banco.

Casilla número 11

Calle de Aragón

Aragó, 203 (Caja Mediterráneo)

Creix tant com vulgues. I que també ho facin els teus diners.

Cuenta a la vista
Caja.—Fírmame aquí.
Cliente.—El sábado fui al local que me dijiste.

Entre Finques Mas-Ferrer ("es fan declaracions de renda") y Superalimentació ("mucho más que helado"), Caja Mediterráneo (CAM, www.cam.es), con su logo de recursos pedagógicos: un triángulo azul y un cuadrado verde en el interior de un círculo amarillo.[11] La CAM ocupa el chaflán de la calle d'Aragó con Aribau.

En el interior, pulido y aireado, mesas dispuestas como en un colegio, seguramente de comerciales. Al fondo, el espacio reservado para el director, sin ampulosidades ni acampanadas formas. Detrás del director, un pasillo con mobiliario de cajetones, archivadores corredores que ya han desaparecido de la mayoría de las negocios boyantes.

FIRECRACKER, displicente, cortés, atento, le invita a sentarse a su mesa. Le ofrece una hoja milagrosa, en la que caben todos los conjuros:

FIRECRACKER .—Esta es la hoja en la que se explican las ventajas de abrir una cuenta a la vista; escucharás que se habla a menudo de Cuenta Nómina o con otros nombres, pero es una cuenta a la vista. De esta cuenta, dependen, como si fueran apéndices, todos los demás trípticos.

Entonces, FIRECRACKER le enseña con rapidez el surtido de ofertas y ofertones, como un *self service* coreano:

-"No et quedis sense la teua MEGAPUJADA. Prigilegis euro 6000", con descuentos para establecimientos comerciales.

-"Amb Caja Mediterráneo, el teu negoci guanya", con la tarjeta "Cambusiness", para controlar los gastos del negocio.

-"Tu tries! Hi ha una altra forma d'estalviar", para "la imposició d'estalvi a termini fix sense remuneració en efectiu". Aquí hay un desplegable de "regalos": la batería Magefesa Vitrinox; la vajilla de porcelana Martín Berasategui; la cubertería Santa Clara Elegance; el televisor 22" Led Samsung y el juego de toallas Guy Laroche.

-"Servei Autònoms", para los autónomos. "TPV virtual o móvil" (TPV es el acrónimo de "terminal punto de venta", sistema de pago con tarjeta).

-"Línia directa amb Caja Mediterráneo", "oficina en línea", y con "alertas antifraude".

Etcétera.

FIRECRACKER.—Pues, lo que te digo, estos trípticos se derivan como servicios anexos de la información de esta hoja, porque lo primero es abrirse la cuenta, nuestro producto estrella. Y ¿qué tendrías que traer para abrir la cuenta a la vista? El DNI y, luego, la nómina o la renta, que sería el equivalente a tener un compromiso de permanencia con nosotros. Y si ingresaras la nómina, tendrías derecho a estos regalos: el ebook energy multimedia color 7" (4.950 puntos) o la cámara de fotos digital 14,1 megapíxels Lumix (5.000 puntos) o el Wii+Wii Sports+Wii Party (8.750 puntos) o el televisor de 19 pulgadas LCD de Samsung (8.500 puntos).

Este reportero hojea el folleto. Al final de la frase "domiciliar tu NÓMINA te ayuda a elegir*" aparece un asterisco, que remite a la letra pequeña, abajo:

* "Obtención de 5.000 puntos con un importe mínimo mensual de la nómina de 800 euros en un solo abono más domiciliación de dos recibos básicos. Compromiso de permanencia 25 meses. Mil puntos adicionales por cada 1.000 euros en

depósito a 15 meses sin remuneración en efectivo. T. A. E.: 1,76% (excepto Baleares). Los puntos tienen la consideración de rendimiento de capital mobiliario en especie, sujeto a ingreso a cuenta: 4,54 euros por cada 1.000 puntos. Consulta la relación de artículos y puntos actualizados en cada momento en el Catálogo. Promoción válida hasta el 31 de marzo del 2012. Bases en oficinas CAM y www.cam.es".

FIRECRACKER.—Si te abres la cuenta, además, tendrás comisión 0 en las transferencias de importes no superiores a 50.000 euros para cualquier país de la Unión Europea.

Debajo de "comisión 0" otro asterisco con letra pequeña: **"Beneficio de carácter no contractual"**.

***

<u>El entendido desencripta la letra pequeña:</u>

En este caso, la cuenta nómina ofrece regalos en función de un esquema de puntos, domiciliando una nómina mínima de 800 euros y dos recibos domésticos, con el compromiso de estar en la entidad financiera un mínimo de 25 meses. La idea es siempre la misma, atar al cliente con el gancho de los regalos; en definitiva, hacer que un cliente esté forzado a permanecer en la entidad varios años si quiere quedarse el reclamo en forma de regalo.

Podemos abrir depósitos a 15 meses cuya remuneración T. A. E. del 1,76% no es en efectivo, sino en forma de puntos que cambiar por regalos. Baleares queda fuera de la promoción, probablemente, por los costes que le supone a la CAM enviar los regalos al cliente.

Suprimir la comisión por transferencias a un país comunitario no se pacta en el contrato, y, en cualquier momento, el banco puede aumentar las comisiones.

Casilla número 12

Plaza de Urquinaona

Plaça d'Urquinaona, 9 ("la Caixa")

Desconnecta de la rutina, fest-te client nostre i emportat aquest pack amb més de 2.000 activitats per triar.

Racer

Clienta.—Y tú, ¿cuántos cumples?

Caja.—Calla, nena, 57 tacos ya; a ver si me dan la jubilación pronto...

Entre el Teatre Borràs *(Violines y trompetas,* con Lloll Bertran y Joan Pera) y el Centre d'Estudis Politècnics (ciclos formativos y bachillerato), "la Caixa" (www.laCaixa.es).[12]

La estrella de "la Caixa" no es una estrella; es un niño que echa una moneda en una hucha. Se trata de una de esas preguntas de concurso como las de *Saber y ganar.* Afuera, en el gran cajero automático de ServiRed, una pegatina reivindicativa: "Bancs i caixes, estafadors, lladrons, culpables". Dentro, otros dos cajeros del mismo tipo ("caixer multiservei-electronic money. Aprofiti els caixers, guanyi temps, és fàcil").

No hay arco metálico de seguridad. La zona de los cajeros automáticos y la oficina en sí están separadas por una valla metálica que se abre y se cierra cada día: "La zona interior sólo es accesible en horas de oficina".

En la zona de oficina, y mientras se hace cola, se puede observar lo bien aprovechado de la sala. A la izquierda de la caja, dos mesas con el rótulo que cuelga del techo de "atención personalizada", y una mesa de "subdirección".

En un expositor, en la cola, y en el que hay dibujadas alas de mariposa, propaganda del programa "multiEstrella": "Múltiples ventajas que dan color a la primavera". Y un folleto desplegable como un acordeón, que se titula: "Queremos darte la bienvenida".

Para abrirse la Libreta Estrella, has de enseñar el DNI e ingresar la nómina. En hojas recicladas se ha fotocopiado la información, bajo el encabezamiento siguiente: "Nòmina multiEstrella. Gaudeix d'avantatges a tota hora". El regalo, un reloj.

La letra pequeña, que ocupa casi tanto espacio como el contenido en sí del mensaje:

1. **S'entén per nòmina únicament els ingressos rebuts mitjançant transferència nòmina o xec nòmina ingressat en compte. Promoció vàlida fins al 26/VIII/2012 o fins a exhaurir-ne les existències (50.000 unitats) per a noves domiciliacions amb permanència de 12 mesos. Retribució en espècie subjecta a retenció a compte segons la normativa fiscal vigent. Promoció no acumulable a altres promocions de domiciliació de la nòmina fetes per "la Caixa" amb posterioritat al 30/IV/2011.**

2. **Programa vàlid fins al 31/VIII/2012.**

3. **Vàlid per a noves hipoteques.**

4. **Descompte del 5% sobre el preu publicat aplicable a tots els immobles propietat de Servihabitat XXI, SAU o de societats del Grup "la Caixa" comercialitzats per Servihabitat XXI, SAU. No acumulable a altres ofertes.**

5. **Concessió de l'operació subjecta a criteris de risc i segons els requisits publicats al web www.laCaixa.es**

6. **Aquests punts se sumen als que puguis obtenir amb les teves targetes i als punts abonats per multiplicadors. Tenen la consideració de retribució en espècie subjecta a ingrés a compte segons la normativa fiscal vigent.**

"la Caixa" és aliena als termes i condicions de les promocions comercials indicades, inclòs el seu període de vigència, i a les relacions comercials i contractuals que se'n derivin, ja que tan sols es limita a facilitar-hi l'accés. Per a qualsevol informació relacionada amb les promocions cal adreçar-se a les empreses que les ofereixen.

ROARHIDE se aproxima, lee, repite la información del tríptico: "Si te abres la cuenta, te damos un reloj. No es cualquier reloj; es Racer".

***

El entendido desencripta la letra pequeña:

"la Caixa" no considera ingreso de nómina, por ejemplo, el ingreso mensual de dinero en efectivo. Tiene que realizarse el abono en nómina mediante transferencia o cheque. A cambio de domiciliar la nómina durante un periodo no menor a 12 meses, nos ofrece un reloj como retribución en especie.

Además hay un descuento del 5% del precio de venta de los inmuebles en cartera del banco (adjudicados en subasta por impago de otros clientes o promotores). La concesión del préstamo hipotecario dependerá del análisis de riesgo que hagan de los solicitantes, como no podría ser de otra manera.

Dado que los inmuebles son propiedad de una sociedad del grupo, la entidad financiera se descarga de responsabilidades en cuanto a la relación comercial y contractual que se produzca entre los clientes y la empresa propietaria de los inmuebles en venta, en relación a la compraventa.

Casilla número 13

Calle de Fontanella

Fontanella, 5-7 (Catalunya Caixa)

Eliminem les comissions si ens portes el teu negoci.

0 comissions
Caja.—Y tú ¿cogerás vacaciones?
Cliente.—Queremos ir a Formentera.

Entre El Corte Inglés ("Welcome to the best place in fashion") y Recreativos Calderón (fresa, cereza, limón), Catalunya Caixa (CX, www.catalunyacaixa.com), "empresa sense fum".[13]
El andamio de la fachada del edificio le quita belleza al entorno. Catalunya Caixa es la única entidad financiera de la calle de Fontanella, en un momento de bajón: varios carteles de "se vende" y "se alquila". Persianas bajadas.
Dentro, un largo túnel, ornamentado de cuadros de La Pedrera, de Antoni Gaudí —propiedad de CX—, lleva a un cenador de maderas suaves, pero que produce una claustrofobia inquietante. La cajera dirige a este reportero a una de las comerciales, FURMIN, justo delante.
Este reportero toma asiento y se presenta.
FURMIN.—No me estarás grabando, ¿no?
Reportero.—No.
FURMIN.—Porque, además, sería ilegal.
Tras tranquilizarse, explica que lo que se exige a los usuarios que quieren abrir una Cuenta Nómina son los documentos siguientes:
-Permiso de residencia en vigor.

-Certificado del lugar de residencia, el padrón, actualizado.

-Una nómina.

Según la cantidad de dinero que figure en la nómina, se cargarán o no las comisiones.

Entonces acerca el folleto de la CX Nòmina "Avui guanyaré més": "Fins a 75 euros extres, 0 euros comissions".

Detrás, abajo, la letra pequeña, que dice así: **"Un 3,5% T. A. E. (3,46% nominal) per al saldo mitjà disponible (màxim 5.000 euros) al compte CX Nòmina durant quatre mesos, per a comptes oberts de l'1/V/2012 al 30/VI/2012 i domiciliant una nòmina nova abans del 31/VII/2012. 0 comissions al compte CX Nòmina, targetes de crèdit i dèbit, quatre transferències al mes nacionals o a la UE per telèfon o Internet, ingrés de xecs nacionals i 75 euros l'any (durant dos anys, 30 euros si mantens a CX Nòmina un saldo mitjà anual de 3.000 euros, 35 euros si compres amb targeta de crèdit més de 3.000 euros l'any, 10 euros si domicilies tres rebuts de càrrec mensual) si es manté un nivell de recursos de 10.000 euros amb CX. Per a nòmines de mil euros o més i pensions de 700 euros o més".**

En la mesa, varias calculadoras. Hace cuentas. Se detiene.

FURMIN.—Seguro que no me estarás grabando, ¿no?

***

La letra pequeña, desencriptada por el entendido:

Otra forma de recompensar que domiciliemos nuestra nómina en una entidad financiera es ofrecer rentabilidad por los saldos en cuenta y rebaja o eliminación de las comisiones de administración más habituales. También es frecuente que no se cobre cuota anual por la emisión de las tarjetas de crédito y débito, como ocurre con esta oferta de CX.

Durante los primeros cuatro meses, además, la cuenta remunera los saldos a la vista (con un máximo de 5.000 euros, valor a partir del cual no hay intereses) a un 3,5% T. A. E. (no significa que nos den un 3,5% en cuatro meses, sino que nos dan un importe tal que si fuera durante todo un año correspondería al 3,5%).

Esta cuenta nómina está reservada a personas que tengan nóminas mensuales de 1.000 euros en adelante o pensiones a partir de 700 euros.

En cuanto a los 75 euros, no queda claro en este extracto de la letra pequeña si se refiere a ingresos en cuenta anuales o al importe de comisiones que no cobran por los productos que mantengamos con la entidad.

Casilla número 14

Ronda de San Pedro

Ronda de Sant Pere, 47 (Banesto)

Banesto financia la casa que siempre has querido al precio que siempre has soñado.

Match Point
Caja.—¿Cuántos niños tiene?
Cliente.—Dos, la mayor se casó con el de la tienda...

Entre el restaurante Punt de Trobada *("self service")* y la tienda Textil Chen ("fabricació pròpia, venda a l'engrós"), la oficina de Banesto (www.banesto.es), uno de la media docena de bancos de la Ronda de Sant Pere, como, por ejemplo, el Targobank.[14]

Banesto es un banco tricolor, de rojos, amarillos y azules, como un emblema de estilo mironiano. En la puerta, este cartel en la mitad de un folio: "Atención a juzgados, siguiente puerta".

Doble acceso. En el entremedio, un rótulo de tres colores: amarillo, azul y rojo: "Caixer 24 hores al seu servei".

Tras la segunda puerta, en la que para pasar por el arco de metales has de pulsar en un timbre hundido hasta los topes, el cajero. La línea que demarca el espacio en el suelo prácticamente está desvaída; apenas sí se lee el "espere aquí su turno". Al alcance de la mano, un expositor con trípticos, repartidos igualmente por el mostrador en el que BRATBAT apaga los fuegos del día. En varios de ellos, debajo del logo de Banesto, este marchamo: "Patrocinador oficial de la Selección Española de Fútbol. Patrocinador de Rafa Nadal".

BRATBAT.—Dígame, ¿qué desea?

Una vez explicado el motivo de la visita, el cajero agasaja al invitado.

BRATBAT.—Me habría de traer la nómina…, sobre todo la nómina.

Reportero.—¿Nada más?

BRATBAT.—Tres recibos, los preceptivos: luz, agua, etc. Pero la nómina es básica.

Reportero.—Y ¿qué me dan?

BRATBAT.—Un ordenador, o un televisor, ese que ves ahí.

BRATBAT se gira instintivamente y mira con denuedo un cartel a sus espaldas en el que se hace propaganda de "la campaña nómina". A continuación, acerca a este reportero uno de los folletos en los que se detalla la promoción: "Te mereces algo grande. Domicilia tu nómina y llévate* una Sony 3D Internet TV de 40 pulgadas".

El asterisco remite a la letra pequeña, en el interior: **"Oferta válida desde el 15/II/2012 hasta el 3/VI/2012 o hasta fin de existencias (5.000 unidades). Exclusivamente por domiciliar por primera vez en Banesto una nómina, pensión o ingreso regular de, al menos, 1.500 euros netos por mes y tres recibos principales domiciliados por primera vez en el Banco en una Cuenta Nómina Banesto de la que el cliente sea primer titular, ocupándose Banesto de las gestiones de cambio de domiciliación de recibos. La nómina y recibos deben mantenerse domiciliados al menos 30 meses. Además, el cliente deberá tener contratadas o solicitar la tarjeta débito 4B y las tarjetas de crédito Diez en Una, y Match Point o Tarjeta 123. La concesión de las tarjetas de crédito está condicionada a la previa autorización de riesgos del Banco. Gastos fiscales asumidos por Banesto. Gastos de manipulado y envío 98 euros por cuenta cliente. No incluye el juego de gafas, necesario para ver 3D. Promoción no acumulable a otras promociones vigentes. Infórmate de las condiciones completas en cualquier oficina de Banesto o en www.banesto.es".**

Reportero.—Y ¿si yo quiero el ordenador?
BRATBAT.—Depende.
Reportero.—¿De qué depende?
BRATBAT.—Del importe de la nómina, de lo que ganes.

***

La letra pequeña, desencriptada por el entendido:
Para conseguir el regalo, ofrecido a cambio de domiciliar la nómina (que ha de ser superior a 1.500 euros por mes), también hay que domiciliar tres recibos principales, normalmente de suministros domésticos (energía, telefonía y agua, básicamente). Es habitual que el banco se encargue de las gestiones burocráticas para que las empresas de suministros domicilien los recibos en nuestra nueva cuenta.

La cláusula de permanencia es de 30 meses, y si la incumplimos supondría que tendríamos que pagar el "regalo". Además, en esta ocasión, la entidad financiera también exige la contratación de una tarjeta de débito (para sacar dinero en cajeros) y una de crédito (que nos pueden aprobar o no, según nuestro expediente crediticio).

Banesto asume los gastos fiscales (el ingreso a cuenta en concepto del IRPF), pero el cliente tiene que pagar los gastos de manipulado y envío.

Casilla número 15

La Rambla

Rambla de Santa Mònica, 10 (Banco de Barcelona)

El león
Entre Take Away ("pasta-pizza-baguettes-café") y Kualalumpur ("anything 8 euros"), el Banco de Barcelona, inoperativo.[15]

Fundado en 1845, la sede de este banco está abandonada. Una placa en el portalón de la fachada principal, que da a la plaza del Portal de la Pau, recuerda los orígenes de la construcción: "Antiga foneria de canons del segle XVII. Reformat el 1858 per l'arquitecte Josep Oriol Mestres i Esplugas (1815-1895)". Al lado de esta placa, colocada recientemente, otra de hierro, de la Dirección General del Instituto Geográfico y Estadístico: "Altura sobre el nivel medio del Mediterráneo en Alicante, 6,4 metros".

El portalón de madera, de unos tres metros de alto, está completamente guarreado de grafitis, con los *tags* de Dero, Rrare, Youngo...

Según las Actas de la Junta de Dirección (AJD) del Banco de Barcelona, de 1862, la escultura que corona la puerta de la fachada principal fue hecha por los hermanos Venancio y Agapito Vallmitjana, y el Banco pagó por ella (o tenía previsto pagar) 1.500 duros.

"Para el escudo de cobre pidieron a Ramon Florensa, fundidor, que el peso de metal fuera de seis quintales." (AJD, 1 de octubre de 1862)

La compra del edificio de los Afinos fue un largo proceso que tuvo su principio en el mismo momento de iniciarse las gestiones para la implantación del Banco, toda vez que en aquella fase preparatoria ya se pensó en este edificio como la sede más adecuada. Se trataba de un inmueble construido para fines militares, que por su ubicación —al inicio de las Ramblas— y su aspecto sólido y aparentemente invulnerable se adecuaba a las necesidades de la entidad.

De *El Banco de Barcelona (1844-1874). Historia de un banco emisor,* por Yolanda Blasco y Carles Sudrià (LID, 2010)

Se sabe que un pedestal de mármol, con la figura de un león, se encontraba en la base de la balaustrada de la escalera principal.

Pero intentar acceder a lo que fue el Banco de Barcelona es tarea imposible. Se ha de pedir autorización a la Direcció General del Patrimoni de la Generalitat de Catalunya, del Departament d'Economia i Coneixement. Según el Gabinet del Conseller, Andreu Mas-Colell, para visitar el espacio tendría que acompañar a este reportero un arquitecto.

Es peligroso entrar. Podrían atacarnos con un huevo SKYSAUR.

El reloj que adorna el friso continúa parado a las 6.23 horas.

Casilla número 16

Vía Layetana

Via Laietana, 47 (Banc Sabadell)

El presente es como un pequeño futuro.
José Corbacho a Oriol Bohigas en 'Converses sobre el futur'

'El Golpe'
Caja.—Me parece estupendo que puedan casarse si se quieren.
Cliente.—El mundo ha cambiado tanto…

Entre la cervecería-bar Ski ("especialidad paellas caseras") y el local de tatuajes y *pírcings* Proarts ("international tattoo expo"), el Banc Sabadell (www.bancsabadell.com), en la esquina de Via Laietana con la calle de las Magdalenes.[16]

Un único cajero pintado con los blancos y los azules de azul titánico. Dentro, en la oficina, a la izquierda, un centro de mesa con unas sillas que quieren emparentarse con las de Mies van der Rohe. Encima, el diario económico *Expansión,* doblado por la mitad. A la derecha, un ascensor en medio de unas escaleras que suben y de unas escaleras que bajan. De las escaleras que suben, bajan dos mujeres calcadas, con vestidos de colores crudos, de manga tres cuartos, punto milano y escote semibarco. De las escaleras que bajan, sube un señor con un maletín que no suelta, pegado a su muñeca como una abrazadera.

Dentro, y encima de la ventanilla, una pantalla plana con las *conversaciones* de los más vistos y oídos: entre el actor José Corbacho y el arquitecto Oriol Bohigas; entre el psiquiatra Luis Rojas Marcos y la *cantaora* Estrella Morente; entre el diplomático Inocencio Arias y el roquero Loquillo, y entre la actriz Geraldine Chaplin y la cantante Luz Casal.

El cajero, inane frente a una máquina contadora de billetes que parece que se ha atascado, se levanta. Pregunta un '¿qué desea?' y, acto seguido, cuando este reportero le informa de que quiere abrir una cuenta, va a buscar a una "asesora".

Caja.—Espere un momento, por favor.

La asesora tarda menos de un minuto en salir de su despacho, a la derecha, a tres metros de las escaleras que suben y de las escaleras que bajan. Se llama CHOP CHOP y es una mujer con pantalones de tiro medio, modelo Bianca, de cinturilla recta con trabillas. "Siéntese", dispone.

Como una carta boca abajo en una partida de mus, CHOP CHOP desliza su tarjeta, que descansa sobre la mesa. Un cuarto frío, que ella ha decorado a su gusto con pequeños e insignificantes detalles.

"Si quiere abrir una cuenta, tenemos esta oferta, que es la que desde hace un par de años estamos impulsando, y ya hemos captado a muchos clientes", ataca, con una voz de mezzosoprano modulada por tonos variables.

Se trata del "Compte Expansió. El compte amb projecció de futur". Despliega el tríptico, con un juego de manos que la hacen digna de un lugar en la mesa con Henry Gondorff, la interpretación de Paul Newman en *El Golpe* (George Roy Hill, 1973).

Un titular en azul: "A Banc Sabadell [Sabadell Atlántico+Sabadell Solbank+Banco Herrero] pensem que el futur té molt a veure amb el que fem en el present".

Debajo, en negrita de cuerpo 20, las ventajas, que abusan de la palabra "gratis": "sin comisiones"; "3% de devolución en los principales recibos"; "gratis la tarjeta de crédito y la de débito"; "reintegros gratis en más de 32.000 cajeros ServiRed"; "con la línea Expansió de tu cuenta"; "descuentos en aseguradoras"; "servicios de banca a distancia, pack de avisos por SMS y correo electrónico"; "sin permanencia obligatoria" y "tu propio gestor personal".

La asesora detalla cada uno de los puntos, intercalando explicaciones sucintas en las que desbroza aquellas líneas que puedan generar confusión. Por ejemplo, acerca de la última de las "ventajas", la referente a "tu propio gestor personal", afirma: "Nosotros te ponemos a una persona del banco a la que siempre podrás llamar para que te aclare cualquier duda".

La letra pequeña, en una de las solapas, bajo un asterisco, no recibe mucha atención: **"Oferta vàlida, a partir de gener de 2012, per la domiciliació d'una nòmina, pensió o ingrés regular mensual per un import de 700 euros. Se n'exclouen els ingresos procedents de comptes oberts en el grup Banc Sabadell a nom del mateix titular. La concessió de la Línia Expansió del teu compte estarà condicionada als criteris de risc del banc".**

Tras una lectura rápida, ahonda en la cuestión: "Sí, lo que necesitamos es que se haga un ingreso de 700 euros mensuales, y que se domicilien tres recibos. Te damos tres meses de plazo para que pases tu nómina a nuestro banco, y si tras esos tres meses no lo has hecho, damos de baja tu cuenta. Para abrir la cuenta sólo necesitamos el DNI. La cuenta Expansió la estamos moviendo entre particulares, y funciona muy bien. Además, no tiene límite de crédito".

La oficina del Banc Sabadell cuenta con un estand en el que hay una colección de trípticos cortados por el mismo patrón ("documentos publicitarios"): blancos con letras negras y azules de aguamarina, como esas colecciones de azulejos en los que los motivos florales se alternan con estos otros: "servilletero", "cajita ovalada", "bucarito cobre"... Los encabezamientos de los trípticos son estos: "Nens i nenes, benvinguts. Compte Júnior"; "Per fi a casa. Hipoteques"; "Els teus f%ns [sic]. Fons d'Inversió"; "FuTur. Plans per a la jubilació"; "Zzzz... Assegurances de protección"; "Tu Banca personal"...

Examinamos dos de ellos, cogidos al azar, para observar qué nos dice la letra pequeña.

En "Nens i nenes, benvinguts. Compte Júnior" se añade este sub-título: "Perquè aprendre a estalviar és divertit". La cuenta Júnior es "exclusiva para menores de 14 años". Seis apéndices de colorines subsumidos bajo este título: "Y pensant en el futur, Estalvi Futur".

> Però, a més a més, tindràs tota la tranquil·litat que t'ofereix una assegurança de vida: si tu no hi ets, nosaltres ens farem càrrec de les quotes pendents fins al venciment de l'assegurança.[1]
>
> I tot, amb una fiscalitat excel·lent, ja que en el període d'aportacions el rendiment acumulat no tributa en la corresponent declaració de l'IRPF.[2]

La letra pequeña, abajo:

1. **Les aportacions periòdiques futures quedaran garantides en cas de defunció llevat per a contractes en què l'edat de l'assegurat més la duració del contracte sigui igual o superior a 65 anys o bé llevat d'incompliment del pla d'aportacions establert inicialment. En aquests casos, el beneficiari cobraria a venciment el capital acumulat a la data de defunció més un capital addicional del 10%, amb un màxim de 12.000 euros (600 per a assegurats amb edat superior a 65 anys o que presentin riscs agreujats).**

2. **Segons la legislació vigent.**

Y debajo de todo, los logos de las redes sociales Facebook y Twitter.

La letra pequeña aumenta en número en el "documento publicitario" que lleva por nombre: "Els teus f%ns. Fons d'Inversió". Con este subtítulo: "Sempre pensant en la teva rendibilitat".

"Una inversió sempre és una cosa molt personal. Per això t'oferim una àmplia i variada oferta de Fons gestionats per BanSabadell Inversió, gestora líder en Fons d'inversió qualificats amb rating qualitatiu atorgat per Standard & Poor's."[1]
(1) www.fundsinsights.com

Entramos en la página www.fundsingights.com, en inglés, y se abre el mapa del mundo, con tres círculos en los que hacer *clic*, y que representan Estados Unidos, Europa y Australia. Pulsamos sobre Europa, pero se necesita una clave para acceder y registrarse en el Fund Ratings and Research.

"Disponibilitat total: podràs rescatar la teva inversió total o parcialment, sense cap tipus de penalització a partir del sisè mes."[2]
(2) Comissió del 2% si es cancel·la o rescata abans del primer mes o de l'1% si es fa abans dels sis primers mesos.

"Només pagaràs una comissió d'èxit en cas d'obtenir beneficis de la teva inversió."[3]
(3) Al final de cada any natural es merita una comissió del 10% sobre la revaloració positiva obtinguda durant el període, només quan el valor final és superior a l'aconseguit en qualsevol dels tres períodes anteriors i supera la inversió inicial.

"Amb excel·lents avantatges fiscals perquè invertint en Fons d'Inversió et beneficiaràs d'un tracte fiscal avantatjós."[4]
(4) Per a persones físiques residents, segons la legislació vigent a Espanya. Hi ha, per a cadascun dels Fons gestionats per BanSabadell Inversió, informació periòdica que és a disposició del públic a les oficines comercialitzadores, a bsinversion.com i al registre de la CNMV

[Comisión Nacional del Mercado de Valores]. Els Fons d'Inversió gestionats per BanSabadell Inversió són productes MiFiD [Directiva sobre Mercados de Instrumentos Financieros; Markets in Financial Instruments Directive, en sus siglas en inglés] no complexos, excepte el Fons d'Inversió Immobiliària i els Fons de Gestió Alternativa, que són productes MiFiD complexos.

CHOP CHOP sonríe y sus dientes imitan un meandro del Sena. Acaricia el tríptico, acostumbrada a peores lides que la de traducir a los no doctos en la materia el contenido terminológicamente enrevesado del banco.

Proporciona a este reportero un sobre en el que guardar la información. En el lugar destinado al destinatario, esta frase: "Descubra todas las ventajas de la nueva Cuenta Expansión". En el remite, pero dentro del sobre, estas frases: "Es imposible explicar aquí todas las ventajas que tiene gestionar su dinero con el máximo rigor y la máxima seriedad. Aquí tiene la tarjeta de su oficina, venga a vernos y le contaremos personalmente todo lo que le ofrece la nueva Cuenta Expansión del Banco Sabadell, porque la verdadera expansión está en [hay que abrir el sobre para continuar leyendo] tratar su dinero con rigor y seriedad. Y esto no se explica en un simple papel".

"Tú no eres cliente nuestro, ¿no?", salta la gestora CHOP CHOP, ya de pie, con la mano a punto de encajar la de este reportero, a modo de despedida. Y tras la negativa, se rearma y vuelve a la carga: "¿No querrías que te captaramos?".

***

El entendido desencripta la letra pequeña:
Para computar los ingresos regulares no tienen en cuenta los traspasos desde cuentas del mismo titular a la cuenta nómina, lo que es lógico ya que son meros movimientos internos.

Cuando se habla de *transferencias*, se entiende que es un abono o cargo en la cuenta del titular procedente o hacia una cuenta de otra entidad financiera (a nombre del titular o de otra persona).

Los *traspasos* serían movimientos de dinero entre cuentas del mismo titular en el mismo banco. Si el traspaso es a una cuenta en el mismo banco pero de otro titular, también se suele hablar de transferencias.

Las cuentas para niños son una forma de que aprendan a ahorrar y relacionarse con los bancos desde edades tempranas. Dado que el menor no tiene capacidad jurídica para actuar en cuestiones de dinero, los padres (que tienen la patria potestad) siempre han de firmar y autorizar la cuenta.

El titular de una cuenta corriente es el propietario del dinero y puede añadir autorizados, que pueden operar con la cuenta sin ser los propietarios del dinero.

Los fondos de inversión son un instrumento de inversión que nos permite diversificar enormemente nuestro ahorro, además de que sea gestionado por expertos en cada mercado. El cliente compra participaciones en el fondo, que son partes del total; si el fondo de inversión tiene su dinero invertido en 100 acciones europeas, por ejemplo, con cada participación que compramos tenemos una pequeña proporción de las 100 acciones, con lo que el riesgo está muy repartido.

En el folleto informativo del fondo de inversión nos tienen que comunicar la política de inversión que tiene el fondo. La CNMV es el organismo público que se encarga de fiscalizar la actuación de los fondos para que cumplan con la legislación española.

De entre la multitud de tipos de fondos que existen, podemos mencionar:

- Los fondos de renta variable, que invierten en acciones. Y hay multitud de subtipos, desde los que invierten en acciones de un solo país (por ejemplo, fondos de inversión de renta variable española), en acciones de una zona determinada (por ejemplo, acciones de países europeos) o incluso en sectores determinados (fondos que invierten en empresas del sector energético).
- Los fondos de renta fija, que pueden invertir en productos cuya rentabilidad es previamente conocida por el inversor, como la deuda pública a la renta fija que emiten empresas privadas.
- Los fondos de inversión monetarios, que invierten en activos de mucha liquidez y bajo riesgo.
- Los fondos de inversión garantizados, en las que el banco que los tiene depositados garantiza que en una fecha determinada se le devolverá al partícipe su inversión, aunque la cotización del fondo haya bajado respecto a la fecha de contratación.

Casilla número 17

Plaza de Cataluña

Plaça de Catalunya, 8 (IberCaja)

Renda vitalícia Ibercaja. Una renda per gaudir tota la vida.

Disponible
Cliente.—¿Me miras la pensión, hija?
Caja.—¿Cómo están sus nietos?

Entre una oficina de "la Caixa" ("com més assegurances em portis, més aconseguiràs") y Kentucky Fried Chicken ("so salad"), Ibercaja (www.ibercaja.es).[17]

En el interior de la oficina, se nota la solidez del edificio por las vigas de hierro forjado, de principios del siglo XX, aún con el sello de Herederos J. Romani de Hostafrancs.

A la izquierda, el cajero automático: "Actualice aquí su libreta. Conocerá, de antemano, el saldo y movimientos de su cuenta". Después del cajero, un espejo que da hondura y sensación de espacio al lugar. A la derecha, dos mesas con las agentes comerciales. En el centro, la caja, con este cartel: "Pagos de recibos a partir del 15 de septiembre…".

En la cola, un expositor con trípticos menudos. Uno de ellos, el Depósito Selección Plus 2, ofrece "alta rentabilidad+fantásticos artículos". En la imagen de la portada, una vajilla de porcelana ("vajilla de porcelana de 40 piezas diseñada por Amaya Arzuaga"), una cámara digital ("cámara digital Panasonic LUMIX"), un libro electrónico ("ebook bq Cervantes 2"), una cafetera ("cafetera Nespresso Krups Pixie"), un reproductor multimedia ("Samsung Galaxy S Wifi 3.6") y un televisor ("Samsung Led 22" UE22D5003"). Sobresale, en primer plano, el número 4% T. A. E., al que se le ha pegado el asterisco*.

El asterisco remite a la letra pequeña: **"Aquests articles es consideren retribució en espècie i, per tant, estan subjectes a tributació segons la legislació fiscal vigent. Ibercaja es reserva el dret de substituir algun d'aquests productes per un altre de similar o de característiques superiors en cas que se n'exhaureixin les existències. Consulti les característiques dels articles a la seva oficina. Oferta vàlida fins al 30/VI/2012 i per a totes les Comunitats Autònomes, llevat de les Canàries i els clients amb residència fiscal a Navarra".**

Sentado ante la comercial SKYTALON, este reportero se haría con alguno de los regalos mencionados simplemente por depositar dinero en una cuenta de ahorro: "Es un 4% T. A. E. Francamente, está muy bien, y no hace falta que tengas la nómina aquí. Y te llevas un regalo de promoción, especial. ¿No tendrás algún *disponible?*".

Reportero.—¿Disponible?

SKYTALON.—Dinero.

***

<u>**El entendido desencripta la letra pequeña:**</u>

Depósitos regalo ya comentados.

Casilla número 18

Avenida Puerta del Ángel

Avinguda del Portal de l'Àngel, 31-39 (Banco de España)

Camelot
Cliente.—¿Exactamente, dónde firmo?
Caja.—Debajo de todo.

Entre la turronería Planelles Donat ("torró de Xixona") y una oficina de Deutsche Bank, la sede del Banco de España en Barcelona (www.bde.es), la entidad bancaria de Portal de l'Àngel.[18]
En la esquina de Plaça de Catalunya con Portal de l'Àngel, un edificio de estilo clasicista se levanta con una sobriedad que impresiona. A media altura, una especie de hachones de luz de bronce, que dan un aire señorial a la estructura. Las escaleras de la entrada incluyen una máquina para facilitar el acceso a las personas postradas en silla de ruedas. Una plancha metálica delimita la puerta con cristales. Afuera, dos de los cuatro guardias civiles que vigilan el entorno fuman sus cigarrillos sin ganas de charlar. Ellos inspeccionarán las pertenencias de este reportero tras pasar sus bultos por el escáner de seguridad. En esa antesala en la que están apostados los guardias, una placa recuerda que el dictador Francisco Franco inauguró el edificio en 1955.
"Este banco tiene programada la apertura retardada de la caja y sistema permanente de grabación de imágenes."
La sede del Banco de España es como una gran logia, con columnas corintias y un espacio central que guarda similitudes con la oficina central de correos de Via Laietana. Suelo de mármol, gigantescos cuadros pintados sobre los muros, con escenas cruzadas entre la mitología y los hechos heroicos de los antepasados íberos.

En medio, y rodeada de 15 ventanillas de caja, una mesa de cristal con 12 asientos, que podría pasar por la Mesa Redonda de Camelot. Encima, información de "nuestra moneda", el euro, con consejos del Banco Central Europeo ("Eurosistema") para detectar billetes falsos.

Dos cajeros automáticos en los que cambiar las pesetas ("no admite monedas de 2.000 pesetas").

En las últimas ventanillas de caja se puede abrir una cuenta para comprar Letras ("1,5 por mil de gastos de transferencia al vencimiento, con un mínimo de 0,90% y un máximo de 200 euros") y Bonos ("1,5 por mil por gastos de transferencia en el pago de intereses y en la amortización, con un mínimo de 0,90 euros y un máximo de 200 euros") del Tesoro Público (www.tesoro.es).

"Por favor, tome su número opción 3 de Deuda Pública y espere a ser llamado."

Este reportero es llamado:

ICELION.—Aquí lo que puede hacer es abrir una Cuenta Directa con la que comprar deuda.

Reportero.—¿Qué tendría que traer?

ICELION.—El DNI y el número de cuenta de otra cartilla o talonario de cheques de otra entidad para que le envíen los intereses, y, luego, tiene que *suscribir*.

Reportero.—¿Qué es *suscribir*?

ICELION.—Comprar deuda pública.

Reportero.—No hay vajillas ni iPads de regalo, ¿no?

ICELION.—No, nosotros somos intermediarios del Estado.

***

El entendido desencripta la letra pequeña:

La deuda pública española es un producto financiero de renta fija emitido por el Gobierno Español en las subastas (mercado primario) y que también se puede comprar y vender, en cualquier momento, en un mercado secundario al estilo de la Bolsa.

Podríamos decir que es el activo con menos riesgos que existe, dado que el Estado garantiza de forma total el importe invertido, con un compromiso que se ha establecido recientemente en la propia Constitución.

El cliente podría acudir directamente a una subasta de deuda pública (Letras o Bonos según los plazos de vencimiento), abriendo una cuenta directamente en el Banco de España. También lo puede hacer mediante un banco, que actúa como intermediario (y nos cobra una comisión, del 1,5 por mil en el caso de este banco en cuestión).

Casilla número 19

Calle de Pelayo

Carrer de Pelai, 5 (Caixa Penedès)

Els teus somnis, a les teves mans.

La senyora Joanna
Caja.—Tenemos una promoción estupenda.
Cliente.—Me fío de usted.

Entre el Frankfurt's Pelayo (cerró) y Sabateries Raúl & Alba Rodríguez ("es traspassa"), Caixa Penedès (www.caixapenedes.com).[19]
Una pintada de "Ladrones", hecha con espray rojo, queda como un rescoldo de la manifestación por la huelga general del 29 de marzo del 2012. El verde vid preside la entidad, austera y rústica a la vez, por los colores de piedra. En la puerta, una vitrina con la cubertería: sopera, platos hondos, copas de cristal…
Dentro, un mostrador que es un mueble con listones de haya. Dos muchachas conocen perfectamente a los clientes habituales, con quienes tratan y a quienes saludan como a los familiares que tradicionalmente se visita en los domingos. "Bon dia, senyor Eduard", dice una de ellas, que se pone de pie. "Bon dia tingui vostè", le responde el señor Eduard, muy educado.
Enfrente del mostrador con las dos muchachas, y antes de los tres asientos de cuero negro, una especie de revistero con una colección de documentos publicitarios:
1. "La tranquil·litat d'un ingrés mensual per a tota la vida" es el título del díptico en el que dos muñecos aparecen echados como en una tumbona. "Renda vitalícia."
"Per contractar Penedès Rendes Vitalícies, cal fer una única

aportació inicial d'un mínim de 10.000 euros a qualsevol oficina de Caixa Penedès*."

*A les nostres oficines l'informarem exactament dels avantatges i les condicions del producte d'acord amb la seva edat, el tipus d'interès i la legislació fiscal vigent. Aquesta informació és una breu descripció de les característiques del producte, les quals es concreten i detallen a la pòlissa. L'aportació mínima inicial a partir dels 75 anys (inclosos) és de 20.000 euros.

"El 100% de l'aportació inicial satisfeta més un 10% addicional* està garantit per als seus beneficiaris en el moment de la defunció dels assegurats."

*El percentatge addicional de l'aportació inicial no serà superior al límit quantitatiu de 600 euros.

"Exemple d'estalvi fiscal*."

*Exemple comparatiu del cost fiscal del rendiment del producte segons la Llei de l'IRPF 35/2006, de 28 de novembre.

2. "Descobreix què et regalen les targetes Visa de Caixa Penedès", tiene por título el documento de "Promoció targetes".
   "Per cada compra igual o superior a 10 euros amb qualsevol de les targetes Visa de Caixa Penedès*, aconseguiràs una participació** en el sorteig de 40 iPad 2 de 64GB amb WiFi i 3G."
   *Queden excloses de la promoció les operacions amb targetes on el titular sigui una empresa.
   **Aconseguiràs tantes participacions com múltiples enters de 10 contingui l'import de cada compra individual.

3. "Pel que et costa cada dia... el pa, el diari, un cafè... assegura't

una bona jubilació." La campaña "Plans de pensions" es persuasiva. El ejemplo que se da, en cualquier caso, no es vinculante.

"Només per 1 euro al dia, pots arribar a aconseguir 77.000 euros a la jubilació*."

*Aquest exemple té caràcter merament informatiu, i de cap manera és vinculant per a Caixa Penedès Pensions EGFP, S. A., que no n'assumeix cap responsabilitat del resultat ni de la seva utilització.

MOONHOWLER se levanta, le da la mano a este reportero, con un rápido gesto, como el movimiento del alfil en una jugada de ajedrez. Ella le explicará qué regalos se da al cliente en la "Campaña Nómina". Sólo interrumpirá la exposición de datos para seguir saludando a cada una de las personas que entra: "Bon dia, senyora Joanna"…

"Pues, mira, regalamos un televisor Samsung Led de 32 pulgadas siempre y cuando ingreses la nómina en nuestra oficina (nóminas de 800-1.000 euros) y dos recibos básicos. También se ha de gastar, como mínimo, cien euros por trimestre con la tarjeta. No sé, en compras, por ejemplo", dicta esta mujer, con la vestimenta apropiada para los bancos: falda de tubo y una camisa impecablemente planchada.

Reportero.—¿Si quisiera un iPad?

MOONHOWLER.—Para conseguir un iPad tu nómina debería ser de 1.800-2.000 euros…

Reportero.—…Que no es el caso.

***

El entendido desencripta la letra pequeña:
El seguro de rentas vitalicias está indicado para gente mayor que

quiere tener una renta periódica a un interés bueno y con una tributación mejor que los depósitos (en todo caso hay que solicitar la T. A. E. para comparar, no el interés bruto). A partir de los 60 años una parte creciente de los rendimientos dejan de considerarse rendimientos del capital mobiliario.

Concretamente, el seguro de rentas vitalicias es una modalidad de los seguros de vida-ahorro en la que una entidad aseguradora, a cambio de una prima única, garantiza al asegurado una renta periódica hasta su fallecimiento. Se contrata, al mismo tiempo, la cobertura por fallecimiento, para que los beneficiarios reciban la prima única aportada en su momento (o un porcentaje mayor o menor según póliza).

La tributación en el momento del fallecimiento del titular es en base al Impuesto de Sucesiones y Donaciones.

Puntos importantes que tener en cuenta:

- El dinero no tiene que necesitarse en un futuro, ya que se tendrían que sufrir pérdidas en el capital.
- Hay que seleccionar con cuidado a los beneficiarios del seguro. Al funcionar como un legado, no se incorpora al testamento como el resto de bienes y derechos. Podría pasar que el beneficiario del seguro y los herederos no fueran los mismos. Para evitarlo hay que hacer constar que los beneficiarios del seguro serán los herederos legales.

Casilla número 20

Vía Augusta

Via Augusta, 128-132 (Citibank)

Tu banco debe crecer contigo, no a tu costa.

Citigold

Cliente.—A veces voy dos veces por semana; otras, tres.
Caja.—Yo tengo el gimnasio en la calle Calàbria.

Entre Vinya Augusta ("denominación de origen Montsant: Flaset, 2,95 euros") y Autoescoles Madrazo, una de las cuatro oficinas que hay en Barcelona de Citibank (www.citibank.com), "24 hour banking".[20]

Blancos y azules, con franjas rojas que como un paraguas luminoso protege de los chubascos de las recesiones.

En el interior, a la derecha, el cajero automático. Los trípticos, en una especie de baldas de armarios de luna de Leroy Merlin, en la línea divisoria que separa el espacio del cajero automático de la oficina en sí. A la izquierda, la mesa del director de la oficina.

Antes de traspasar los límites y de que este reportero se interne en la amazónica región de los créditos, el señor director y "asesor personal Citigold", IRONBUG, se levanta y acude a su encuentro: "Buenos días, ¿qué desea?", pregunta a la vez que muestra una afectación propia de la heroína de Balzac Eugénie Grandet. Con perilla arabesca, con pupilas salpicadas de los ésteres del ácido nítrico, por su blancura inmaculada.

IRONBUG le atiborra de trípticos y cuadrípticos, el primero de ellos, con las instrucciones para abrir la cuenta. La cubierta principal del primero de ellos muestra a una chica joven, en la treintena, cuyo rostro refleja una dicha pagana basada en su propia prosperidad. "Una cuenta. Tu cuenta. Y a ti ¿tu banco te da tanto? Cuenta 'Todo cuenta'. Citi never sleeps".

IRONBUG despliega el folletón y como un televidente empieza a rezar en voz alta: "Nos encargamos de la domicialización de todos tus recibos, para que tú no tengas que hacer nada: luz, agua, gas, teléfono móvil, teléfono fijo e internet. Y te devolvemos un 3%". Continúa, como en una telemaratón: "Todo esto es válido si cobras una cifra superior a 2.000 euros o superior, entonces se te incluye todo el paquete. Y recibirías la tarjeta Electron, con la que podrías sacar dinero en el Tíbet. ¿Hay cajeros en el Tíbet? No lo sé, pero si los hubiera, podrías sacar dinero en ellos. Si te apareciera una nota conforme te cobran comisión, acepta, no importa; luego, aunque te la hayan cargado, te la quitaríamos. También tenemos una oferta para ingresar 3.000 euros a plazo fijo, hace un momento hemos estado hablando en multiconferencia sobre ello".

En la contracubierta del cuadríptico, la letra pequeña (en un lateral, en mayúsculas, la indicación de "Publicidad"): **"Los beneficios asociados a la Cuenta Corriente denominada 'TODO CUENTA' están sujetos a la domicialización de una nómina, pensión, o bien a una orden de transferencia mensual permanente procedente de otras entidades, con destino en dicha cuenta, por importe igual o superior a 2.000 euros. Para clientes con saldos mensuales en el Banco superiores a 75.000 euros, dichos beneficios estarán sujetos únicamente a la domiciliación de una nómina o pensión, sin importe mínimo, o bien a una orden de transferencia mensual permanente procedente de otras entidades, por importe superior a 601 euros. Para calcular el límite máximo de devolución de 100 euros se tendrá en cuenta tanto la devolución del porcentaje de compras abonadas con la Tarjeta de Débito como el de la devolu-**

ción de recibos principales: luz, agua, gas, teléfono fijo, teléfono móvil e internet, emitidos por la empresa que suministra el servicio".

IRONBUG.—Claro, está el producto estrella del que no te he hablado. Si ingresas una cantidad superior a 75.000 euros serás nuestro cliente preferente, un Citigold… Bueno, esto es algo muy americano. No sé si es tu caso…

IRONBUG se enrolla con una perorata de El Calvo de la serie de Antena 3 Televisión *Aquí no hay quien viva*. "Somos un banco norteamericano con más de doscientos años de historia y que desembarcó en España en 1984. Estamos presentes en más de…".

Para abrir la libreta corriente se necesita doble identificación: "El DNI y el carné de conducir, por ejemplo". Y un ingreso "simbólico": "No sé, de 50 euros, por ejemplo". Y domiciliar la última nómina.

El segundo folleto publicitario es una cartulina cuadrada de 20 centímetros por 20 centímetros. En el anverso, de color azul, las frases: "Pensar en su futuro. Asegurar su futuro". Y el lema, en el centro: "Productos de jubilación Citibank. Tranquilidad. Seguridad. Rentabilidad". En el reverso, en un cuerpo de letra del número 48: "2% del importe traspasado". El antetítulo: "Traspase ahora sus Productos de Jubilación desde otra entidad y consiga hasta…".

El subtítulo: "Solicite más información en su sucursal de Citibank".

Debajo, la letra pequeña: **"Esta oferta es válida para: Planes de Pensiones, Planes de Futuro Auvida y Planes de Previsión Asegurados. La promoción del 2% es para un periodo mínimo de permanencia de cinco años. Para condiciones diferentes de permanencia consultar la oferta de bonificación en la sucursal. Bonificación máxima de 1.000 euros. Los productos de inversión que comercializa Citibank España, S. A. no** son depósitos bancarios. No conllevan garantía ni obligación alguna por parte de Citibank/Citigroup, ni de ninguna de sus filiales, excepto en los casos en los que alguna filial sea el emisor o garante del producto. La inversión en estos productos conlleva riesgo de pérdida del capital invertido. Los productos de inversión están sujetos a la volatilidad de los mercados, a variaciones en los tipos de interés y a la fluctuación de las divisas. Rentabilidades pasadas no son promesa o garantía de rentabilidades futuras [...]".

Del documento "Perspectivas 2010/2011" ("años de transición"), que se reparte en el banco, vale la pena destacar la parte de atrás, en letra diminuta: "[...] La información recogida en este documento ha sido elaborada sin tener en cuenta los objetivos, situación financiera o las necesidades de ningún inversor en particular. Todo aquel que estuviera sopesando la posibilidad de efectuar una inversión debería valorar la idoneidad de la misma en relación con sus objetivos, situación financiera o necesidades, y buscar asesoramiento independiente sobre la conveniencia o no de proceder a dicha inversión. [...] El presente documento no debe interpretarse como una oferta o recomendación de asesoramiento de inversión. Según la naturaleza y los contenidos del documento, las inversiones aquí descritas están sujetas a fluctuaciones de los precios y/o del valor, y cabe que los inversores recuperen un importe inferior al invertido inicialmente. Determinadas inversiones de alta volatilidad pueden sufrir depreciaciones súbitas y acusadas, que podrían ser iguales a la cantidad invertida. [...] Citibank no presta asesoramiento legal y/o no tiene obligación de informar al inversor sobre las leyes pertinentes en su operación de inversión".

IRONBUG, sentado junto a unos trofeos con delfines, trae de un almacén interior una carpeta para meter ordenadamente la propaganda de la entidad. Acompaña a este reportero hasta la puerta: "Hoy estamos a 3 de febrero. Le llamaré en... ¿una semana? Nos gusta llevar un control de nuestros futuros clientes. Que pase un buen día".

***

El entendido desencripta la letra pequeña:
Primer folleto
La transferencia más habitual, la que todos conocemos, es la transferencia puntual, que se ordena acudiendo a una sucursal o mediante banca a distancia. Mandamos que un determinado importe de nuestra cuenta (del banco emisor) se transfiera a otra cuenta (nuestra o de otros titulares) de otra entidad financiera (banco beneficiario). Sin embargo, también se pueden dar otro tipo de órdenes de transferencia; en el caso que nos ocupa, se habla de "orden de transferencia mensual permanente procedente de otras entidades". Es un tipo de transferencia en la que se da la orden a nuestro banco de que cada mes haga una transferencia por un importe determinado a una cuenta beneficiaria estipulada. De este modo, cada mes se efectúa automáticamente la transferencia sin tener que dar una nueva orden.

Segundo folleto
Importante es tener en cuenta la advertencia de que "los productos de inversión que comercializa Citibank España, S. A. no son depósitos bancarios", ya que tenemos que distinguir perfectamente un depósito a plazo fijo de cualquier otro tipo de producto de ahorro que nos puede proponer el banco.
Los depósitos a plazo fijo o IPF (imposiciones a plazo fijo) son

el producto financiero más sencillo y seguro que un banco nos puede ofrecer (junto con las cuentas corrientes y las remuneradas). Consiste en el compromiso del cliente que contrata el depósito de mantener un dinero depositado en la entidad durante un plazo establecido (días, meses o años), a cambio de una rentabilidad determinada. Si el cliente quiere recuperar su dinero antes del vencimiento, pagará una comisión de cancelación anticipada que nunca superará los intereses devengados (no se arriesga capital). Además de que el banco asegura el dinero invertido en depósitos, si las cosas fueran mal y se liquidara la entidad financiera, hay un Fondo de Garantía de Depósitos que nos devolvería hasta 100.000 euros por persona y banco. Sólo las cuentas y depósitos cuentan con esta seguridad.

Perspectivas 2010/2011

Lo que nos dice Citibank es que la información que nos proporciona es meramente informativa, no siendo asesoramiento personal en ningún momento. Es importante conocer perfectamente la naturaleza del producto que nos planteamos contratar, en base a las siguientes variables:

- Seguridad: recuperar nuestra inversión si el banco quiebra (presenta un concurso de acreedores) y la posibilidad de perder capital o intereses según la naturaleza del propio producto y de los activos en que pueda invertir.
- Liquidez: posibilidad de recuperar nuestra inversión antes del vencimiento y si hay posibilidad de perder capital en este caso.
- Rentabilidad: ganancia pactada o prevista del producto en cuestión.

Nunca hay que invertir si no se entienden bien estos tres puntos básicos.

Casilla número 21

Calle de Balmes

Carrer de Balmes, 150 (Cajamar)

Els teus, segurs. Allò teu, segur. I tu, més tranquil.

Colores esmeralda

Entre el hotel Catalonia Diagonal Centro ("entra y disfruta") y el restaurante Mariscco ("arròs integral saltejat"), Cajamar (www.cajamar.es), en la esquina de Balmes con Còrsega.[21]

Colores esmeralda y un parqué desvaído que da una sensación de calidez. Espacio abierto y diáfano. Las mesas de los comerciales, a la izquierda. A la derecha, los asientos para los clientes que esperan su turno, y alguna planta errática. Cerca del despacho del director, un panel con fotografías de casas: "Ahora es tu oportunidad. Tenemos la llave de tu futura casa".

Encima de la cajera, una pantalla de plasma con publicidad interna: "Domicilia el teu rebut d'autònom a Cajamar"; "Le ofrecemos una buena jugada: mover a Cajamar su Plan de Pensiones y llevarse (en efectivo) hasta 1.000 euros"; "Catàleg júnior i menuts 2012", etcétera.

Detrás, en grande, un cartel con la imagen de una niña lista que enseña la palma de la mano: "Gaudeix de la vida amb la teva assegurança de Vida Cajamar".

En la mesa de la caja, BONGORILLA, con la mirada de jaguar y unos intachables modales de regencia, extiende los billetes para una clienta "de tota la vida".

BONGORILLA.—Cuente el dinero.

Clienta.—Me fío de ti.

Es el turno de este reportero.

BONGORILLA se pone a la defensiva cuando este reportero expone el motivo de su visita.

BONGORILLA.—Este no es el mejor momento, estamos a punto de cerrar [13.50 h] y todos están muy ocupados...

BONGORILLA, con carácter, prácticamente se aúpa sobre la mesa y le acerca el *flyer*: "Domiciliar ara una nòmina té molts avantatges: aconsegueixes una tauleta tàctil 8 pulgades. Domiciliar-ne dues, molts més... Amb el combo nòmina aconseguiu un llibre digital Sony+un robot aspirador Navibot Samsung".

La letra pequeña es tan pequeña tan pequeña tan pequeña, que este reportero utiliza una lupa de nueve aumentos para leerla: **"Promoció vàlida per a noves nòmines domiciliades per imports iguals o superiors a 1.200 euros, amb una permanència de 24 mesos, la contractació de targeta de crèdit comercialitzada per Cajamar Caja Rural i la domiciliació de dos rebuts bàsics. Promoció vàlida per a tots els clients que domiciliïn la seva nòmina en un compte de qualsevol oficina de Cajamar Caja Rural, excepte les d'Almeria i Múrcia. Als efectes fiscals, aquesta promoció té la consideració de rendiment en espècie del capital mobiliari per al seu perceptor. I, per tant, està subjecta a tributació i a ingrés a compte del 21%, a càrrec del client, import que cal que es mantingui al compte fins al lliurament de l'article: tauleta tàctil Coby, 42,51 euros; llibre electrònic Sony, 36,62 euros, i Navibot Samsung, 65,98 euros. Promoció no acumulable amb cap altra promoció en la qual els beneficis estiguin condicionats al compromís o manteniment de la domiciliació d'una nòmina en un compte obert a Cajamar Caja Rural. Promoció vàlida des del 16 d'abril fins al 30 de setembre de 2012, o fins que s'arribi a les 2.000 primeres nòmines domiciliades. Se'n poden consultar les bases completes a les oficines de Cajamar Caja Rural incloses en aquesta promoció".**

Reportero.—Pero ¿necesito traer la nómina?

BONGORILLA.—No, la verdad es que sólo con el DNI ya nos basta.

***

<u>La letra pequeña, traducida por el entendido:</u>

Puntos comentados.

Casilla número 22

Paseo de Gracia

Passeig de Gràcia, 54 (Banco Pastor)

Passa't a la 0,0 de Banco Pastor.

Servicio de transferencia
Caja.—¿Cómo está Pepita?
Cliente.—Muy bien, gracias, a ver si viene a verte.

Entre el restaurante Madrid-Barcelona ("menú del día, 15,90 euros") y la tienda de calzado ligero Geox (Patrick Cox), el Banco Pastor (www.bancopastor.es).[22]
En la esquina del Passeig de Gràcia con la calle de Aragó.

Carteles con publicidad de las campañas para atraer a clientes, entre los que destacan los que tienen al columnista Fernando Ónega como reclamo. Dos pivotes de hierro, como dos pilones de las obras en construcción, crecen del suelo, con su acero reluciente, como dos ojos malignos que te miren fijamente. Tras la puerta corredera, un espacio amplio, que podría ser el de una terraza. En el lado que da a la calle de Aragó, siete mesas de madera con los comerciales y los administrativos.

Este reportero se acerca a la caja, en medio de las dos alas. Tras escucharle, la atenta mujer, que no se sorprende por nada que le digan, le emplaza a que se siente con "el responsable", en una de las mesas del fondo.

El "responsable" atiende a una llamada telefónica, vestido como un jefe de sección de la redacción del *San Francisco Chronicle,* en los años treinta. El chico, llamado BANDOLERO, espigado, nada ampuloso, consumido por los nervios de su correspondencia virtual, se estira en el espaldar de la silla, y aguanta el teléfono colocado entre el hombro y la barbilla, mientras contesta mails o activa seguros de vida.

BANDOLERO.—No, se trata de un cheque bancario…

Interlocutor.—…

BANDOLERO.—Confirmado no, es dinero en efectivo… Tú le puedes decir que tiene saldo, que lo dice el banco…

Interlocutor.—…

De mientras, este redactor camina por los terrenos de la oficina, quizá una de las más grandes de Barcelona. Tonos marrones, aire noventayochista, de banco emergente en medio de la decadencia general. Faltan los señores con levita, los empleados con la cinta en las mangas y con una visera anticuada.

Con forma de una lata de Nestea, en la que pone "Cuenta 'sin' 0,0 comisiones. Sabor nómina", la propaganda publicitaria para atrapar a los nuevos clientes en la Cuenta Nómina. En el envés de los folletos, las imágenes del pastel: un televisor plasma de 32 pulgadas LG Life's Good (para nóminas superiores a 1.800 euros); un televisor plasma de 22 pulgadas LG Life's Good (para nóminas superiores a 1.000 euros, hasta 1.800 euros), y una batería de cocina Vitrinor (para nóminas superiores a 600 euros, hasta 1.000 euros).

Debajo de todo, la letra pequeña: **"Consulta las condiciones de acceso y sus límites en las bases de esta promoción. La adhesión a esta promoción requiere un compromiso de permanencia de 24 meses, así como la firma de sus bases, disponibles en www.bancopastor.es o en cualquier oficina de Banco Pastor. Promoción válida hasta fin de existencias (5.000 unidades de cada artículo). El valor del artículo tendrá la consideración de rendimiento de capital mobiliario sujeto a ingreso a cuenta: Oferta no acumulable a otras e incompatible con cualquier promoción de domiciliación de nómina. Oferta no** aplicable a clientes de oficinadirecta.com ni de Pastor Banca Privada".

BANDOLERO.—Tiene valor el mismo día. La diferencia con el cheque normal es que el otro tiene cuatro días de espera...

El "responsable" cuelga el teléfono.

BANDOLERO.—Siéntese, ¿qué desea?

Y tras una anodina presentación, la batería de cocina está al alcance de este reportero: "Has de traernos dos recibos básicos (el de la luz y el del teléfono móvil, por ejemplo), y la nómina, claro. El mantenimiento de la cuenta y las tarjetas, gratuitos, así como cualquier servicio de transferencia...".

Reportero.—¿Qué es un *servicio de transferencia?*

BANDOLERO.—Ingresos de cheques, etcétera. Entonces tendrás un pequeño regalo de bienvenida. ¿Lo querrías?

Reportero.—¿Por qué no lo iba a querer?

BANDOLERO.—Hay gente a la que no le interesa, por la renta, para no tener que pagar de más.

***

<u>La letra pequeña, traducida por el entendido:</u>

Las cuentas nómina pueden ofrecer un reclamo en forma de "regalo", una remuneración en especie que, además, tiene un coste en el IRPF del año en cuestión. A cambio del objeto, hay que tributar en la declaración de la renta, como rendimiento del capital mobiliario (en especie), con un ingreso a cuenta que puede pagar el banco o el cliente, según sea la promoción.

Cuando una entidad financiera quiere captar a un cliente mediante la apertura de una nueva cuenta en la que domicilie la nómina (conocidas como 'cuentas nómina') puede ofrecer diferentes ventajas: una de ellas es el *regalo*, que en realidad es una forma de ofrecer "intereses" en especie. Dado que no dan dinero, ofrecen un objeto, sea un televisor o una batería de cocina. Este regalo tiene un valor, que es la remuneración en especie que recibimos.

A cambio de este regalo nos atamos con el banco durante un periodo determinado de tiempo, 24 meses en el caso de la letra pequeña del ejemplo. Si dejamos de tener domiciliada la nómina antes, tendríamos que devolver el importe en el que se valora el obsequio.

El problema de esta forma de remuneración es que si miramos la rentabilidad real, la famosa T. A. E. (Tasa Anual Equivalente), resulta que nos ofrece una remuneración muy baja, muchas veces menor del 1% y, como desventaja, nos anuda al banco durante muchos meses.

NOTAS DE LOS CAPÍTULOS

1. En el juego del Monopoly, entre la casilla de Salida ("Cobre 20.000 pesetas cada vez que pase por aquí") y la Caja de Comunidad ("Error de Banca a su favor. Reciba: 20.000 pesetas").

2. En el juego del Monopoly, entre la Caja de Comunidad ("Cobre una herencia. 10.000 pesetas") y la casilla Impuesto sobre Reintegros ("20.000 pesetas").

3. En el juego del Monopoly, entre la Estación Ferrocarriles Catalanes ("Alquiler: si tiene 1 Estación, 2.500 pesetas") y la casilla de Suerte ("La inspección de la calle le obliga a reparaciones. Pague 4.000 pesetas por casa. Pague 11.000 pesetas por hotel").

4. En el juego del Monopoly, entre la casilla de Suerte ("Multa por embriaguez, 2.000 pesetas") y Consejo de Ciento ("12.000 pesetas").

5. En el juego del Monopoly, entre la calle de Urgel ("10.000 pesetas") y la Cárcel.

6. En el juego del Monopoly, entre la cárcel y la Compañía Distribución de Electricidad ("Si se posee una carta de Compañías de Servicio Público, el Alquiler es 400 veces el número salido en los dados").

7. En el juego del Monopoly, entre la Compañía Distribución de Electricidad ("Si se poseen dos cartas de Compañías de Servicio Público, el Alquiler es 1.000 veces el número salido en los dados").

8. En el juego del Monopoly, entre la calle de Aribau ("14.000 pesetas") y el Apeadero Paseo de Gracia ("Alquiler: si tiene 1 estación, 2.500 pesetas").

9. En el juego del Monopoly, entre el Apeadero Paseo de Gracia ("Alquiler: si tiene 2 estaciones, 5.000 pesetas") y la Caja de Comunidad ("La venta de su *stock* le produce 5.000 pesetas").

10. En el juego del Monopoly, entre la Caja de Comunidad ("Ha ganado el segundo premio de belleza. Reciba: 1.000 pesetas") y la calle de Aragón ("20.000 pesetas").

11. En el juego del Monopoly, entre la calle de Diputación ("18.000 pesetas") y el Parking gratuito.

12. En el juego del Monopoly, entre el Parking gratuito y la casilla de Suerte ("Vaya a la cárcel. Vaya directamente sin pasar por la casilla de Salida y sin cobrar las 20.000 pesetas").

13. En el juego de Monopoly, entre la casilla de Suerte ("La Banca arroja un dividendo de 5.000 pesetas") y la Ronda de San Pedro ("24.000 pesetas").

14. En el juego del Monopoly, entre la calle de Fontanella ("Alquiler del terreno sin edificar, 1.800 pesetas") y la Estación de Francia ("Hipoteca: 10.000 pesetas").

15. En el juego del Monopoly, entre la Estación de Francia ("Alquiler: Si tiene 1 Estación, 2.500 pesetas") y la Vía Layetana ("Precio de compra, de cada casa: 15.000 pesetas").

16. En el juego del Monopoly, entre La Rambla ("26.000 pese-

tas") y la Compañía Distribución de Aguas ("Si se posee una carta de Compañías de Servicio Público, el Alquiler es 400 veces el número salido en los dados").

17. En el juego del Monopoly, entre la Compañía Distribución de Aguas ("Si se poseen dos cartas de Compañías de Servicio Público, el Alquiler es 1.000 veces el número salido en los dados") y Vaya a la cárcel.

18. En el juego del Monopoly, entre Vaya a la cárcel y la calle de Pelayo ("30.000 pesetas").

19. En el juego del Monopoly, entre la Avenida de Puerta del Ángel ("Alquiler con Hotel: 127.500 pesetas") y la Caja de Comunidad ("Queda libre de la cárcel. Esta carta puede conservarse o venderse hasta que sea utilizada").

20. En el juego del Monopoly, entre la Caja de Comunidad ("Pague la factura del médico: 5.000 pesetas") y la Estación del Norte ("20.000 pesetas").

21. En el juego del Monopoly, entre la casilla de Suerte ("Ha ganado el premio de palabras cruzadas. Cobre: 10.000 pesetas") y la Tasa de Lujo ("10.000 pesetas").

22. En el juego del Monopoly, entre la Tasa de Lujo y la casilla de Salida ("Cobre 20.000 pesetas cada vez que pase por aquí").

Cuestionario MONOPOLY BCN
inspirado en el Cuestionario Proust

1. ¿Quién es el mejor postor?
2. ¿Cree en la suerte?
3. ¿Teme al Fantasma de las Navidades Pasadas?
4. ¿Por qué, en muchos casos, no se concede crédito a particulares y a pequeñas y medianas empresas?
5. ¿Tiene sus ahorros en otra libreta que no sea la de su banco?
6. ¿Desmiente el mentís popular de que cuanto más dinero se roba, a menos años de cárcel se condena?
7. ¿Qué previsiones de beneficio considera que tendrá este año la entidad para la que trabaja?
8. ¿Son compatibles las ganancias de una empresa con los recortes de plantilla (expedientes de regulación de empleo y ajustes en las nóminas)?
9. ¿Prefiere el euro o la peseta?
10. ¿Son fiables las agencias de calificación de riesgos o especulan con los datos que manejan para desestabilizar los mercados?
11. ¿Qué historia se inventaría para hacerle entender a un niño el concepto económico de *prima de riesgo?*
12. ¿Estaría de acuerdo con la Tasa Tobin, cobrar un tanto por ciento por las grandes transacciones de capital?
13. ¿Con qué medidas lucharía contra el fraude fiscal? ¿Con qué imagen identifica los *paraísos fiscales?*
14. ¿Aprueba la medida del Ejecutivo central de grabar las rentas con ingresos superiores a los 120.000 euros por año?
15. ¿Está de acuerdo con la reforma de la Constitución que se hizo en el 2011 para hacer cumplir la Ley General de Estabilidad Presupuestaria?
16. ¿Qué medidas tomaría para reducir el déficit si fuera presi-

dente del Gobierno? ¿Con qué político, de antes o de ahora, se identifica más?

17. ¿Quién gobierna el mundo: el dinero o los políticos?

18. ¿Según usted, un banco puede ser un agente social, como lo son los sindicatos y la patronal?

19. ¿Qué siente cuando escucha la palabra *tijeretazo,* en relación a los recortes en el Estado del Bienestar?

20. ¿Habría que mejorar los servicios públicos?

21. ¿Cuándo cree que los bancos que han recibido ayudas públicas podrán saldar su deuda y devolver el total del dinero prestado?

22. ¿Qué modelo de financiación autonómica plantearía, a grandes rasgos? ¿Su visión de Estado es centralista o federal?

23. ¿Qué es la moral? ¿Cuáles son los valores que pregona?

24. ¿Qué le parece el movimiento del 15 de Mayo? ¿Ha leído el libro de Stephane Hessel, *¡Indignaos!?* ¿Podría comentarlo?

25. ¿Qué parte de culpa podría achacarse a su banco por la actual crisis económica?

26. ¿Le preocupa la imagen social que los bancos dan a la ciudadanía? ¿Se sienten odiados o queridos?

27. ¿A cuánto asciende la penalización automática que su banco cobra por tener la libreta de ahorros en descubierto?

28. ¿Está de acuerdo con el modelo keynesiano de la distribución de la riqueza? ¿Con qué teoría económica se encuentra más cómodo?

29. ¿Qué entiende por *austeridad?* Ponga un ejemplo.

30. ¿Qué entiende por *despilfarro?* Ponga un ejemplo.

31. ¿Es sacrificado ser banquero?

32. ¿Cómo es su jornada laboral? Descríbala.

33. ¿Alguna vez ha tenido que tramitar el paro para cobrar la prestación por desempleo? ¿Suprimiría los subsidios?

34. ¿Cuántos pisos calcula que posee su banco?

35. ¿Cuál es el máximo número de parados que, a su juicio, podría soportar el país?
36. ¿Piensa en Barcelona? ¿Cree o ha creído que España podría llegar a ser intervenida por el Fondo Europeo de Estabilidad Financiera?
37. ¿A qué jugaba de pequeño?
38. ¿Qué queda del niño que fue?
39. ¿Cuánto cuesta un kilo de patatas?
40. ¿Qué es el dinero?
41. Resuma brevemente las causas principales de la actual fallida económica.
42. ¿Qué haría para salir del túnel?

El cuestionario MONOPOLY BCN se ha enviado por correo electrónico, entre otros, a los siguientes banqueros:

Francisco González (BBVA),
Emilio Botín (Banco Santander),
Alan Duffell (Citibank),
Rodrigo Rato (Bankia),
Ángel Ron (Banco Popular),
Antonio Rodríguez-Pina (Deutsche Bank),
Antonio Basagoiti (Banesto),
Isidre Fainé ("la Caixa"),
Amado Franco (Ibercaja),
Adolf Todó (Catalunya Caixa), etc.

Ninguno de ellos ha respondido.

EPÍLOGO

Avinguda de la Diagonal, 418 (Triodos Bank)

Els seus estalvis poden canviar el món.

Atalayas
Cliente.—Porque aquí no se especula, ¿no?
Caja.—No.

"Pedimos con altivez de emperadores la destrucción de todo aquello que extenúe o que amilane." Estas palabras pertenecen al manifiesto vanguardista del *atalayismo,* movimiento artístico puertorriqueño. Igual que el atalayismo, Triodos Bank ha irrumpido en Barcelona como un soplo de aire fresco.

En la avenida de la Diagonal, 418, en el edificio Terrades (Casa de Les Punxes), entre la tienda de "parquets-evolución" Listone Giordano y el negocio de sofás Grassoler, se encuentra la única sede de Triodos Bank en Barcelona. Un acto de rebeldía atalayista.

No hay pintadas en la fachada contra la desmesura de los bancos, sino un expositor como los de los diarios gratuitos *Metro* y *Qué!* en el que se pueden coger ejemplares del número 25 (otoño del 2011) de la revista de Triodos Bank *El color del dinero,* con este sumario: "Cumplimos siete años; apertura en Baleares; nuestros sectores; una radio diferente; entrevista a Marcos Eguiguren; resultados se mestrales y cosmética natural": "Conozca las historias que hay detrás de los proyectos y empresas que financiamos con los ahorros de nuestros clientes".

La puerta de Triodos Bank, con un símbolo peculiar como logo ("triple enfoque: planeta, personas y rentabilidad. O en inglés: *people, planet and profit*"), de cristal esmerilado y franjas verdes, deja ver el interior de la entidad, de unos cien metros cuadrados. Dos plantas, unidas por unas escaleras en las que los clientes también se sientan mientras guardan cola.

Delante de este reportero, siete personas: una pareja de jóvenes de estética *new age,* con dibujos balsámicos en sus camisetas, que recuerdan al grupo *The Velvet Underground* y al plátano diseñado por Andy Warhol; un hombre de mediana edad que se coloca las gafas como se las deben colocar los discípulos de la "modernidad líquida" del sociólogo Zygmunt Bauman; un chico vestido con un polo de algodón y de punto liso; una señora que podría tener la cara y la edad de la actriz Natalie Wood justo antes de su accidente mortal (43 años); un joven que tranquilamente se podría enamorar de Bridget Jones y que lee un ensayo cuyo título es demasiado largo para retenerlo, y un chico de apenas veinte años que lee con fruición una especie de tesis antiautoritaria y estructuralista de Noam Chomsky. En sus rodillas, el casco de la moto.

La decoración, la del taller y "especialista de la casa" Bauhaus: cinco mesas de maderas policromadas, de tonos beis-ocres-marrones, más apagados que el nogal americano o el wenge. En cada una de las mesas, sentados, los empleados del banco, chicos que no pasan de los treinta años, sin corbata. Sonrisas. Voluntariosos. Animados. Da la sensación de estar en el Maratón de Barcelona, momentos antes del pistoletazo de salida. En las paredes, unos cuadros altos, que bien podrían tener la altura de Tachenko. Entre el cubismo abstracto, el tachonismo y el rayismo. Se podrían titular estos óleos como los planetas Kepler-34b y Kepler-35b, que orbitan alrededor de una "estrella binaria"; uno de estos cuadros, de seis metros de anchura, con pétalos rojos de una rosaleda.

Unas plantas (¿orquídeas holandesas, bonsáis, ficus, palma, sábila, nopal enano?), con el verde de los trópicos, relajan a la clientela. Del macetero de una de ellas sobresalen unos palos de bambú que miden lo mismo que los pies de un palafito. En las sillas de respaldo azul, frente a los supuestos cajeros (en Triodos no se toca dinero en efectivo, se trabaja *on line*), los clientes, de franjas de edad intergeneracionales: desde el abuelo cebolleta hasta el estudiante de la Plataforma Unitaria en Defensa de la Universidad Pública.

Este reportero pregunta por la directora de la oficina, Isabel Sánchez (Barcelona, 1966).

La chica de recepción, conocedora de su oficio, atiende: "¿De parte de quién le digo?".

Tras una llamada, por la escalera baja una elegante mujer de vestido raso, con tal naturalidad que se quedaría en agua de borrajas la escena de *Desayuno con diamantes* en la que se canta *Moon River*, de Johnny Mercer y Henry Mancini.

A su despacho se accede tras cruzar una puerta corredera, medio cerrada. La mesa de reuniones, alargada, sobre una moqueta ecológica gris azulado que induce a la melancolía. Sobre el mueble central, una fotografía, enmarcada, de sus hijas, que se abrazan entre ellas, y los dibujos que han pintarrajeado en el cole.

Isabel no extenúa ni amilana, sino que irradia y despeja.

"El banco es un corazón, el dinero se coloca con rigurosidad y, sobre todo, con mucha responsabilidad. Siempre digo que el banco nunca se puede olvidar de la gente. Hay quien dice: 'Los bancos tienen mucho dinero'. No, nosotros sólo gestionamos el dinero de los clientes, pero ese dinero es de ellos. Es una manera de saber que no podemos hacer según qué cosas con los ahorros que nos confían."

Pregunta.—¿Cómo llegó hasta aquí?

R.—Cuando aterrizó Triodos Bank en España lo tuve muy claro, quería ayudar con mi experiencia, poner mi granito de arena para trabajar aquí. Es muy importante encontrar aquello en lo que tú te sientes útil, en lo que aportas. Hay que trabajar, pero trabajar únicamente por dinero nunca te cubre las expectativas, y puesto que hay que trabajar mucho, si lo haces con ilusión y ves que contribuyes a cambiar las cosas, mucho mejor.

En mayo del 2006 se abrió la oficina de Barcelona [Triodos Bank se encuentra en otras ocho autonomías]. Yo me incorporé entonces. La central se abrió en el Parque Empresarial de Las Rozas, en Madrid. Hacíamos pedagogía sobre la banca ética. Triodos es una palabra de origen griego que significa *tres caminos* y que simboliza el equilibrio necesario entre la triple rentabilidad social, medioambiental y económica.

La gente venía para informarse, y querían vernos en persona. Y el intervalo entre informarse y hacerse cliente se ha hecho más corto. Hay gente que hace un depósito; otros abren cuentas de ahorro, etc. Es muy bonito que gente joven venga aquí e incluso que traiga a sus padres, que les acompañan para abrirse una cuenta, como si fuera una especie de paso obligado para alcanzar la mayoría de edad. Son clientes muy diversos, de muchas profesiones. Por ejemplo, finales de junio se parece a la "semana de los profesores", supongo que porque han acabado las clases (profesores de instituto, de la universidad, de escuelas infantiles...).

P.—¿**Realmente sois transparentes?**

R.—Explicamos qué hacemos y contamos a quién financiamos y por qué.

P.—**Cuando digo sois, ¿quiénes sois?**

R.—Triodos Bank nace en Holanda, hace 30 años, y más tarde se abren sucursales en el Reino Unido, Bélgica, España y Alemania. Una de las bazas de la banca ética es la transparencia en el día a día, en el *core business*. En la página web colgamos información sobre todos los proyectos que financiamos, agrupados por áreas geográficas y por sectores. Para que la gente sepa qué se hace con su dinero.

P.—¿**Los directivos no tienen contratos multimillonarios?**

R.—No, en la memoria se informa de la relación de los sueldos de los máximos directivos y la diferencia entre el salario más alto y el más bajo, que es de 1:8,5. No hay ningún contrato blindado ni se aplica una política de bonos para los directivos. Trabajamos mucho el concepto de *comunidad*. Evidentemente los que trabajamos aquí somos profesionales, pero no tenemos esa presión por maximizar beneficios, esa competencia por aumentar los bonus, esa codicia que está en la raíz de la crisis financiera. No se trata de hacer el máximo de cualquier forma, sino de hacerlo bien.

P.—¿Por qué hoy son tan poco transparentes los bancos?

R.—Para nosotros es básico ser transparentes, colaborar y explicar. No hay nada que esconder. Transmitimos valores. No consiste en hacer lo que me dé la gana y luego limpiar la conciencia con donativos, no. El beneficio no se puede conseguir a costa de cualquier cosa. Las empresas han de tener beneficio, porque, si no, no hay futuro, pero no a cualquier precio. Nuestra misión no es la máxima rentabilidad (en todo caso, la máxima rentabilidad es medioambiental y social), sino maximizar la sostenibilidad a través del negocio bancario: recoger el dinero de ahorro y con él hacer préstamos a sectores sostenibles de la economía real. Si luego tienen un valor añadido para que la gente sea más fuerte, pues repercute en todos. Eso sí, los números tienen que salir, porque si no, la gente no confía.

P.—¿Por qué no se da crédito?

R.—Nosotros siempre hemos sido igual de rigurosos. Nos mantenemos con nuestros criterios de riesgo. No hemos ido a ningún fondo de rescate ni hemos tenido problemas de liquidez. Recuerdo que cuando abrimos la oficina, si no dábamos según qué intereses incluso se molestaban algunos. Una cosa son los criterios de riesgo y otra cosa es qué hacemos con el dinero. No se puede avanzar partiendo de subidas de precio futuribles, no se puede avanzar con supuestos. Pero no todo el mundo está dispuesto a perder cuota de mercado. Para nosotros, el dinero ha de ir en consonancia con los valores. Miramos primero la actividad, y si no encaja dentro de nuestra política de inversión o no vemos aporte social, medioambiental o cultural, no se entra.

P.—¿Se envían informes a la central, en Madrid?

R.—Todo se comparte. Tenemos especialistas en sectores, y en según qué actividad te ayudan; ellos saben los intríngulis. Se intenta que el proyecto financiero se adecúe a las necesidades actuales.

P.—¿Conoce el programa de riesgos *credit score?*

R.—Nosotros no lo tenemos. Algunos *score,* igualmente, los puedes hacer en Excel, con una serie de ratios. Es verdad que con grandes volúmenes se han de *parametrizar* varios datos, mirar ingresos... Lo más importante es que se pueda pagar la cuota, la capacidad de pago. Si una persona tiene unos ingresos de 100 euros, no puede pagar 100 euros: tiene que comer, tiene que vivir... Durante el *boom* de los pisos, los padres decían: 'No, si mi hijo gana 1.000 euros, que pague con 1.000 euros la hipoteca de su piso, que yo le pagaré lo demás'. Pero, claro, es que se estaban endeudando los padres a 30 años, como mínimo, y los padres a lo mejor no vivían tanto. La valoración que hace una máquina siempre necesita el valor añadido de la valoración de la persona que conoce al cliente, el sector, y que puede tener en cuenta aspectos más cualitativos que un programa no puede prever.

P.—¿Qué tipo de tarjetas recomendáis?

R.—Intentamos que se usen las de débito. Porque para algunas personas la de crédito es causa de muchos despistes. Por regla general, la gente se controla más a la hora de pagar en efectivo, pero con la tarjeta es como si no viéramos el dinero porque no vemos los billetes. Siempre he defendido que la economía es pasado. No se pueden hacer números sobre el futuro. Una máquina no puede saber qué ocurrirá mañana.

P.—¿Dónde ve el final de la crisis económica?

R.—Yo creo que las cosas están cambiando. La cantidad de gente que viene a Triodos a abrirse una cuenta... Y lo hacen. Ellos saben que el uso del dinero ha de ser diferente. Si han llegado a esa conclusión, conseguirán muchas cosas. Y lo aplicarán en muchos aspectos de su vida. Se pueden cambiar cosas. Los individuos dicen que no tienen dinero pero no se dan cuenta de que tienen fuerza varios gestos sumados. Por ejemplo, al consumir productos ecológicos se gana en salud. Aquí igual. Hay gente que reparte la ropa que ni siquiera estrena porque sabe que así alivia a otras personas. Son cosas posibles. Cuando algunas personas dicen que no tienen cultura financiera les digo que lo más importante es tener sentido común. Hombre, si el precio del dinero está al 1 y en un banco te están pagando el 18, hay que preguntarse por qué se produce ese desfase. Hemos valorado enriquecerse a corto plazo. Y hemos de dar la palabra, ser serios, ser correctos. En el afán de querer ganar más, es como si hubiéramos dejado de pensar.

No hemos de tener miedo. No nos hemos de paralizar. Si no hacemos nada porque todo va mal, todo seguirá yendo mal. Hemos de hacer cosas.

***

Para abrirse una cuenta en Triodos Bank, ha de rellenar "la solicitud de contratación para personas físicas". Se ha de escoger entre varios "productos":
-Cuenta Triodos
-Cuenta corriente Triodos
-Tarjeta de débito Triodos
-Depósito Triodos
-Cuenta vivienda Triodos

La letra pequeña, abajo: **"És imprescindible obrir un Compte Corrent Triodos per poder contractar una Targeta Dèbit Triodos, un Dipòsit Triodos, un Dipòsit Actua o un Ecodipòsit. Si ja en disposa d'aquest compte, si us plau, indiqui-ho a l'apartat D. En cas contrari, Triodos Bank obrirà un Compte Corrent Triodos de manera gratuïta juntament amb el pro-**

ducte contractat, segons les condicions generals que figuren al Contracte Global d'aplicació (accessible a www.triodos. es)".

Hecho el trámite, recibe la "tarjeta de coordenadas y usuario de Triodos Bank" ("un banco en el que cuenta algo más que el dinero"), necesaria para operar a través de Banca Internet y Banca Telefónica. A esta tarjeta —con las letras de la A a la J en el eje de ordenadas y con los números del 1 al 10 en el de abscisas— la conocen como "el juego de los barquitos, de tocado y hundido": "Podrá localizar la coordenada con la que utilizará su operación en su tarjeta de coordenadas, tomando el valor existente en el cruce entre la fila y la columna indicada. Por ejemplo, la coordenada B2 es 25".

Quienes, una vez leída la letra pequeña del banco, continúen confiando en Triodos Bank, y se abran asimismo una cuenta de ahorro, recibirán una carta, al cabo de una semana, del director general de la entidad en España, Esteban Barroso:

Estimado señor:
Nos alegra sinceramente darle la bienvenida como cliente de Triodos Bank.
Sus decisiones financieras y actos tan comunes como realizar sus pagos o domiciliar sus recibos, con Triodos Bank contribuyen al desarrollo de proyectos y empresas que mejoran la calidad de vida de muchas personas y al cuidado del medio ambiente.
La transparencia es uno de los pilares básicos del banco. Nuestros clientes saben qué hace el banco con su dinero: financiar únicamente iniciativas y empresas sostenibles de los sectores social, cultural y medioambiental. [...] nuestra misión: mejorar la calidad de vida de las personas desde el sistema financiero y concienciar sobre un uso responsable del dinero.
Quedamos a su disposición en el 902 360 940, en clientes@

triodos.es o en nuestras oficinas para cualquier consulta o comentario que desee realizarnos.

Le agradecemos la confianza que ha depositado en Triodos Bank.

Cordialmente,

Esteban Barroso

Director General

Cuestionario <u>MONOPOLY BCN</u>

**Respuestas de Isabel Sánchez (Triodos Bank),
única directiva que ha accedido a rellenar el cuestionario**

1. ¿Quién es el mejor postor?
El que apuesta a seguro y en coherencia con sus valores.

2. ¿Cree en la suerte?
Creo más en el esfuerzo.

3. ¿Teme al Fantasma de las Navidades Pasadas?
No, le invitaría a un café de *comercio justo* en la oficina.

4. ¿Por qué, en muchos casos, no se concede crédito a particulares y a pequeñas y medianas empresas?
Porque o bien no están dentro de nuestra política de inversión centrada en los sectores social, cultural y medioambiental, o bien no han superado el análisis de viabilidad económica.

5. ¿Tiene sus ahorros en otra libreta que no sea la de su banco?
Opero también con otro banco, pero tengo mis ahorros en Triodos Bank.

6. ¿Desmiente el mentís popular de que cuanto más dinero se roba, a menos años de cárcel se condena?
[No contesta.]

7. ¿Qué previsiones de beneficio considera que tendrá este año la entidad para la que trabaja?

En los últimos cinco años, el banco ha crecido por encima del 20%. Esperamos que este año sea igual o superior.

8. ¿Son compatibles las ganancias de una empresa con los recortes de plantilla (expedientes de regulación de empleo y ajustes en las nóminas)?
Yo no lo entiendo, pero no soy economista.

9. ¿Prefiere el euro o la peseta?
Ahora está el euro, pues, el euro.

10. ¿Son fiables las agencias de calificación de riesgos o especulan con los datos que manejan para desestabilizar los mercados?
¿De verdad necesita que le responda?

11. ¿Qué historia se inventaría para hacerle entender a un niño el concepto económico de *prima de riesgo?*
Alguna de miedo.

12. ¿Estaría de acuerdo con la Tasa Tobin, cobrar un tanto por ciento por las grandes transacciones de capital?
¿Eso acabaría con la especulación?

13. ¿Con qué medidas lucharía contra el fraude fiscal? ¿Con qué imagen identifica los *paraísos fiscales?*
Con la falta de responsabilidad de aquellos que llevan allí su dinero.

14. ¿Aprueba la medida del Ejecutivo central de grabar las rentas con ingresos superiores a los 120.000

euros por año?
El tema no está tanto en cuánto dinero se gana, sino en cómo y para qué se utiliza.

15. ¿Está de acuerdo con la reforma de la Constitución que se hizo en el 2011 para hacer cumplir la Ley General de Estabilidad Presupuestaria?
[No contesta.]

16. ¿Qué medidas tomaría para reducir el déficit si fuera presidenta del Gobierno? ¿Con qué político, de antes o de ahora, se identifica más?
[No contesta.]

17. ¿Quién gobierna el mundo: el dinero o los políticos?
La especulación.

18. ¿Según usted, un banco puede ser un agente social, como lo son los sindicatos y la patronal?
Un banco es un agente social clave, porque con su actividad están financiando el desarrollo de determinados sectores y empresas, promoviendo así un tipo de sociedad u otra.

19. ¿Qué siente cuando escucha la palabra *tijeretazo*, en relación a los recortes en el Estado del Bienestar?
Que debemos seguir apoyando los sectores sociales que atienden a personas en mayor situación de vulnerabilidad.

20. ¿Habría que mejorar los servicios públicos?
[No contesta.]

21. ¿Cuándo cree que los bancos que han recibido ayudas públicas podrán saldar su deuda y devolver el total del dinero prestado?
Todos esperamos que sea pronto.

22. ¿Qué modelo de financiación autonómica plantearía, a grandes rasgos? ¿Su visión de Estado es centralista o federal?
La que mejor contribuya a mantener el Estado de Bienestar y la solidaridad con aquellos que más lo necesitan.

23. ¿Qué es la moral? ¿Cuáles son los valores que pregona?
En Triodos Bank, nuestros valores corporativos son: sostenibilidad, transparencia, excelencia y emprendimiento.

24. ¿Qué le parece el movimiento del 15 de Mayo? ¿Ha leído el libro de Stephane Hessel, *¡Indignaos!*? ¿Podría comentarlo?
Sí, pero me gusta más la segunda parte: *¡Comprometeos!* Creo que ahí radica la clave. No basta con indignarse, hay que hacer algo, comprometerse.

25. ¿Qué parte de culpa podría achacarse a Triodos por la actual crisis económica?
La crisis financiera fue motivada por la especulación tras las hipotecas *subprime* y los productos estructurados. En Triodos Bank no ofrecemos este tipo de productos, sólo invertimos en aquello que conocemos: en empresas y proyectos de la economía real, de sectores sostenibles como la agricultura ecológica, *el comercio justo,* la atención a personas mayores o

con discapacidad, integración social, educación, etc.

26. ¿Le preocupa la imagen social que los bancos dan a la ciudadanía? ¿Se sienten odiados o queridos?
El caso de Triodos Bank es particular, por el tipo de banca que promovemos. Pero, en general, la confianza de la ciudadanía hacia los bancos está bajo mínimos, y eso es preocupante.

27. ¿A cuánto asciende la penalización automática que su banco cobra por tener la libreta de ahorros en descubierto?
No existe penalización automática.

28. ¿Está de acuerdo en el modelo keynesiano de la distribución de la riqueza? ¿Con qué teoría económica se encuentra más cómoda?
[No contesta.]

29. ¿Qué entiende por *austeridad?* Ponga un ejemplo.
Vivir en coherencia con nuestras necesidades y capacidades.

30. ¿Qué entiende por *despilfarro?* Ponga un ejemplo.
El consumismo excesivo que predomina en nuestra sociedad.

31. ¿Es sacrificado ser banquero?
Es gratificante cuando te gusta y sabes que lo que haces tiene sentido. Pero duro cuando el éxito de algunas iniciativas depende de ti.

32. ¿Cómo es su jornada laboral? Descríbala.
Intensa. Entro a las 9 h, miro mis correos, recibo visitas, hago llamadas, analizo proyectos, voy a firmas y tengo una intensa actividad pública con charlas y eventos.

33. ¿Alguna vez ha tenido que tramitar el paro para cobrar la prestación por desempleo? ¿Suprimiría los subsidios?
Afortunadamente nunca he dejado de trabajar.

34. ¿Cuántos pisos calcula que posee su banco?
No hemos ordenado ningún desahucio.

35. ¿Cuál es el máximo número de parados que, a su juicio, podría soportar el país?
[No contesta.]

36. ¿Piensa en Barcelona? ¿Cree o ha creído que España podría llegar a ser intervenida por el Fondo Europeo de Estabilidad Financiera?
[No contesta.]

37. ¿A qué jugaba de pequeña?
Montaba en bici.

38. ¿Qué queda de la niña que fue?
La mujer que soy.

39. ¿Cuánto cuesta un kilo de patatas?
Depende de dónde se compre; si son ecológicas, algo más, pero merece la pena la diferencia.

40. ¿Qué es el dinero?
Una herramienta de intercambio que pone en relación a unas personas con otras, que sirve para satisfacer necesidades y proveer las de otros con el fruto de tu trabajo.

41. Resuma brevemente las causas principales de la actual fallida económica.
Las resumo en una sola: la obsesión por el máximo beneficio en el menor tiempo posible.

42. ¿Qué haría para salir del túnel?
Mirar hacia la luz.

GLOSARIO DE TÉRMINOS ECONÓMICOS DE LA LETRA PEQUEÑA

Por el economista Sergi Quiroga

- **0 comisiones:** para captar a un cliente con nómina se ofrecen ventajas operativas. La banca comercial no deja de ser un supermercado de productos financieros; si te regalo algunos productos, quizá el resto los compres tú.
- **Aceptación de las bases:** no sólo aceptas, sino que otorgas el derecho de queja o de interpretación de la norma.
- **Banca de seguros:** aseguradoras del grupo bancario que ejercen como tal.
- **Bonificaciones:** para captar clientes.
- **Bonos:** si tu capacidad de consumo es alta, hemos de ser muy conscientes del ahorro.
- **Cancelar:** equivocarse con la elección tiene un coste.
- **Carácter no contractual:** contrato modificable cuando el banco lo crea oportuno o según el criterio marcado en las bases. El banco no está obligado a satisfacer forzosamente todas las condiciones ni a que nos indemnicen por daños y perjuicios.
- **Comisiones no financieras:** no cobran ninguna comisión financiera. La pregunta: ¿dónde se estipula qué comisiones son financieras? En las bases de la campaña.
- **Compromiso de mantenimiento:** plazos delimitados por unidades. No se habla de las condiciones de mantenimiento de la cuenta corriente durante los primeros 24 meses.
- **Concesión de préstamos:** el banco siempre tiene la última palabra. Si no están seguros de que puedes devolver el dinero, no te lo conceden.
- **Condiciones:** pese a las condiciones estipuladas, se ofrece

el producto de las tarjetas. Si bien la mayoría pagará una comisión de renovación por las tarjetas de débito, por las de crédito el caso es más grave: se exige una cifra considerable de consumo por no cobrar una comisión y, por la tarjeta flexible, una compra que les genera unos intereses. Resumiendo: si no tienes una pensión o nómina, ningún recibo domiciliado, y no formas parte del programa Sin Comisiones, más vale que no contrates nada o infórmate del gasto asociado. Si lo que quieres es no pagar ciertas tarjetas, sé buen consumidor y anímate a comprar.

- **Consumo:** se exige un consumo mínimo durante tres meses de mil euros, por ejemplo.
- **Coste:** si quieres estar informado por sms de cómo evoluciona tu saldo para conseguir 10 rascas, tiene un coste añadido.
- **Crédito:** se te ofrece participar en un concurso para conseguir un bien, con la condición de que generes movimiento a crédito. Cuanto más consumas, más participaciones. Conclusión: endéudate, que el banco te ayudará a refinanciarte.
- **Cuenta Joven:** cuenta corriente dirigida a jóvenes con nómina.
- **Cuenta Nómina:** producto financiero por el que te ofrecen unas ventajas, regalos, etc. A cambio, el cliente se compromete durante un tiempo a domiciliar su fuente de ingresos. Debemos ver la letra pequeña de las condiciones completas.
- **Cuota:** un año gratis, pero no olvides cancelar el contrato después del año.
- **Cupón al vencimiento:** el apalancamiento financiero de tu capital te lo abonan con unas retribuciones de mercado por un plazo determinado. Los intereses generados "cupón" se abonarán al finalizar el plazo. Resumen: ceder el derecho de mover tu dinero a un plazo determinado a cambio de una renta.

- **Depósito:** dinero depositado en un banco para que este proceda a su custodia. El objetivo es mantener nuestro dinero a salvo y aumentar al máximo sus intereses. Su ventaja, además de la liquidez, es la seguridad, es decir, la estabilidad de la inversión. La principal diferencia con una cuenta corriente es que en esta el titular puede ingresar y retirar su dinero según le interese, mientras que en los depósitos el titular debe mantener el dinero durante un tiempo estipulado y no se permite ningún tipo de domiciliación de recibo ni talonario.
- **Diversificación de la inversión:** puede ser internacional, siempre que sea un producto del mercado bursátil.
- **Domiciliación de nómina o pensión:** no sólo se exige la nómina o pensión, sino dos recibos domiciliados de suministro y la contratación de una tarjeta. Pregunta: ¿sabemos el coste asociado a todo ello?
- **Domiciliación:** ceder el cobro de la nómina ("inyección de liquidez al banco") te da una retribución según los tipos estipulados. Pero has de estar un mínimo de dos años con la entidad bancaria. La liquidez de intereses es semestral.
- **Exención:** un banco sin comisiones si cumples los requisitos, que no son pocos. Además se reserva el derecho de retirarte del grupo de clientes o modificar las bases. No es cierto que una buena política de márqueting sea aquella que consolida a un cliente; aquí la intención es captarlo.
- **Fondos de inversión:** invertir una cifra mínima de mil euros "nuevos" (en este caso, que no sean generados por la entidad financiera) durante el plazo de un año. En el caso de que necesitaras el dinero antes de plazo, te penalizarían con una cuantía estipulada en el contrato. Como máximo puedes ganar por año dos mil euros brutos, inviertas lo que inviertas. Tributarás por rendimiento de capital mobiliario. El "fondo de inversión" es un producto financiero (diversifica tu ahorro

en una denominada *cartera*, gestionada por un "experto").

- **Imposiciones:** sólo puedes contratar una vez, y no puedes exigir tu dinero hasta finalizar el contrato, seguramente bajo ningún concepto.
- **Línea de expansión:** es una línea de crédito, supeditada al estudio del departamento de riesgos del propio banco.
- **No prestar asesoramiento legal:** contratación sin conocimiento e información, por lo cual tú sabrás si debes invertir o no.
- **No vinculante:** pregunta: si no se asumen responsabilidades, ¿para qué la promoción? Método de captación de clientes.
- **Participación:** el propio banco garantiza que las participaciones lleguen a una cifra determinada, pero muchas veces no conocemos los beneficios netos del plan.
- **Póliza:** cuando hablamos de *póliza* hablamos de aseguradora, por lo tanto este depósito está cubierto por un seguro.
- **Promoción regalo:** condición "consumo". Pregunta: ¿endeudamiento de las familias o incentivación de la banca para que se endeude?
- **Puntos:** "Bienvenido. Por un regalo ya eres mío durante 25 meses". Como el catálogo lo hago yo, el regalo no será de valores desorbitados. Consejo: no te dejes llevar por la ilusión y atiende las bases de la promoción.
- **Rascas:** por cada 300 euros que incrementes el consumo, te darán un *rasca*, es decir, cuanto más te endeudes, el banco te concederá la opción de ganar o no, por eso es un rasca.
- **Renuncia:** renuncia a los juzgados o tribunales de la ciudad del comprador en el caso de controversia. Moraleja: más vale ahorrar y comprar que comprar con ayudas.
- **Retención a cuenta:** si nos basamos en que el máximo legal de una pensión se sitúa por debajo de la cifra que normalmente se da, automáticamente descartamos a la mayoría

de los pensionistas. Se les exige capacidad de localización de normas e interés por conocer el gasto asociado.

- **Retribución en especie:** ceder el derecho de gestión de tu dinero a un plazo determinado por un televisor, ahora bien, tributando en el modo de retribución en especie. Como en la mayoría de entidades bancarias, si llevas la nómina durante un periodo de tiempo, te *regalan* un bien, con descuentos para comprar un piso del banco, etc. Todo es lícito para captar a un cliente con ingresos seguros.
- **Revalorización:** si la inversión del cliente va mal, la asumes. En cambio, si la inversión va muy bien, tienes una comisión. La banca siempre gana.
- **Según la legislación vigente:** no se hacen constar las tributaciones que se han de pagar, los costes de la prima aseguradora, etcétera. La fórmula "legislación vigente" te obliga a convertirte en un experto para entender las condiciones del producto. Existen unas exenciones y el banco genera un producto para beneficiar al cliente.
- **Simulación:** hace falta disponer de capacidad de análisis gráfico de datos económicos y relacionarlo con el coste asociado del servicio. Dado que la cartera del producto de inversión acostumbra a ser escogida por el banco, el coste de cobertura de las posiciones en divisas sería muy necesario conocerlo.
- **SMI:** salario mínimo interprofesional, que en España es de 641 euros mensuales.
- **Suscribir:** no te dejes guiar por la ilusión. Lee las bases del *boletín de adhesión*. Tributarás como un rendimiento de capital mobiliario en especie y abonarás las cantidades que se especifiquen.
- **Tarjeta sin cuotas anuales:** si tienes problemas de financiación, el banco te ayuda a que te endeudes, te ayuda a financiar tus compras.

- **Titulares de cuentas a la vista consideradas como No Consumidores:** promociones no orientadas a cualquier empresario. En el caso de que estés interesado debes cumplir unos requisitos que figuran en las bases de la promoción. Se entiende por *consumidor* a la persona física o jurídica que, en las relaciones contractuales, actúa con un propósito ajeno a su actividad empresarial o profesional. Resumiendo: "Si no eres un empresario experto en finanzas, fíate de nosotros".
- **Traspasos de planes de pensiones:** ceder tu plan de pensiones a la entidad. Significa que el banco juega con tu dinero hasta que te jubiles. Tiene una recompensa económica, que depende de tu capital. Como siempre, importante leer las bases con atención.

AGRADECIMIENTOS

Javier Borrego, de PlayStation; Llúcia Oliva, de Fundació Consell de la Informació de Catalunya; Pau A. Monserrat y Andrés Dancausa, de iAhorro.com; Sonia Felipe Larios y Penélope Saralegui, de Triodos Bank; Joan Ramon Riera, de Edicions Llums; Yolanda Blasco, de la Universitat de Barcelona; Roser Bonet, de la Subdirecció General de Patrimoni Arquitectònic, Arqueològic i Paleontològic de la Generalitat de Catalunya; Ludi Martínez; Evelia Villada, de Tinkle; Nuria Horcajada Yáñez, de Banco de España; Esther Jiménez Vallejo, del departamento de prensa de BBVA; Esther Mayor Castaño, del departamento de prensa del Grupo Santander; Cristina Gómez, de Deutsche Bank; Nuria Martínez; Sergi Quiroga, economista; Pili Garcia, de EMUN Ràdio; Francisco E. Núñez; Plàcid Garcia Planas, corresponsal de guerra de *La Vanguardia;* Manuel Estapé, de la sección de Economía de *La Vanguardia*...

regalar

(Cf. it. *regalare;* fr. *régaler*)
1. tr. Dar a alguien, sin recibir nada a cambio, algo en muestra
de afecto o consideración o por otro motivo.

***

ESTE BANCO DISPONE DE HOJAS DE RECLAMACIÓN

¿Qué hará la Administración con la hoja de reclamación?
La Administración que lo reciba actuará de oficio, iniciando las
actuaciones que crea oportunas, teniendo en cuenta la petición
de la persona reclamante o aquellas que estime adecuadas para el
interés general [cursiva, del autor]

Índice